日本のチェンジメーカー

～龍馬プロジェクトの10年～

神谷宗幣編　龍馬プロジェクト

青林堂

はじめに

龍馬プロジェクト全国会は２００９年から構想が始まり、２０１０年1月から活動をスタート、そして同年６月に政治団体として発足しました。今年で設立10周年を迎えます。

発起人は私を中心とした５人ほどの地方議員でした。「**日本はこのままでいいのか**」そんな気持ちが抑えられなくなり、全国を手弁当で回り、一緒に日本のビジョンを考えようと若手の地方議員に声をかけて、仲間集めをしました。「龍馬プロジェクト」は、佐久間象山(さくましょうざん)や横井小楠(よこいしょうなん)らの教えを受けて**坂本龍馬(さかもとりょうま)がまとめた**「**船中八策**」**に倣ってこれからの日本のビジョンをつくろう、**「**薩長同盟**」**に倣って超党派でプロジェクトを進めよう**、という想いで命名しました。

しかし、この10年の間に【龍馬＝グラバーの手下・テロリスト】説が世に蔓延し、我々の会の名前を知った方から「君たちは国家転覆がしたいのか」などと、本気でお叱りを受けることも1度ならずありました（汗）。

そんな方には我々の基本方針である「**国是十則**」を見てくださいと、以下の理念を見てもらい、理解を求めてきました。

【共生】知識を世界に求め、地球全体に意識を向け、「共生文明」のモデルとなる共同体を作り上げる。

【政治】国民が真実を知り、正しく議論のできる体制を作って、国民の合意に基づいた政治をする。

【皇室】先人が守り続けてきた皇室を中心に、国民は家族を軸に結束して、大きな祈りの力をもって世界の発展に寄与する。

【憲法】日本の歴史・伝統・文化に根付いた新しい憲法を、独立した国家として制定する。

【教育】子供たちの天才を引き出し、社会全体の利益を考え「道義国家」を支えることのできる人材を育成する。

【国防】「独立自尊」の精神をもって、情報戦・経済戦に対応できる組織と法律を作り、国の主権と国民の生命・財産を守る。

【資源】エネルギー・水・食料の自給自足体制を確立する。

【経済】国民が豊かに暮らせる「公益経済」の仕組みを確立する。

【国土】「敬神崇祖」と「自然への畏敬」の念を持ち、国土を強靭化し、地方を活性化する。

【安心】努力したものが報われる公正な社会保障制度を確立する。

この「国是十則」が我々の実現したいビジョンです。このビジョンの下に、プロジェクトに参加してくれたメンバーの総数は政治家だけでも４００名を超え、一般の方を入れたら数はその倍になります。しかし、今の活動メンバーは２５０名ほど。政治的な活動の継続が難しいことを物語っています。

プロジェクトの主な活動は、**まず自分たちが視察や研修を通して、世界や日本のことを学ぶこと。そしてその学びを全国ネットワークで共有し、議会の質問にしたり、意見書と地方議会から政府にあげたり、それぞれの支援者に伝えるようなこと**をしてきました。

こうした活動を通して政治家が知識と人格を磨き、行政に鋭く切り込んだり、国の政策を牽制するのは意義のあることなのですが、こうした地道な活動は有権者にはウケません。地域のイベント参加や挨拶まわりをする方が、選挙の票に繋がるので、多くの政治家は勉強をしなくなり、選挙区から外に出なくなるのです。そうしてせっかく仲間になったメンバーも１人消え、２人消えと減ってきました。寂しい気持ちもありながら、それをずっと見てきた10年でもありました。

このような現実もありながら、長い間一緒に活動してくれてきた仲間を30名選抜し、それぞれにテーマを決めて執筆してもらいました。

この10年で10名以上のメンバーが市長になり、国会議員や知事まで誕生しました。ついこの間まで、隣にいた仲間が、行政のトップや国を動かすリーダーになっていく様子は、メンバーの大きな勇気になりました。自分もやらなければ、と気持ちを駆り立てられるからです。本書では冒頭にそうして首**長になったメンバーの想いや具体的な活動**を紹介しています。

次に、先ほどのような現実があるのに、お金と時間を投資して龍馬プロジェクトを運営してくれる仲間たちが、**プロジェクトにどんな可能性を感じているのか**、についても何名かにまとめてもらいました。また別のメンバーには、**議員になって感じた矛盾や苦労**といった赤裸々な話から、**これからの議員活動の可能性**や**地方議員だからわかる地方の課題**にも触れてもらいました。このあたりを読んでもらえたら、皆さんの政治に対するイメージや日本に対するイメージも少し変わるかと思います。

さらに、10年も活動していると、落選を経験するメンバーもたくさんいましたし、理不尽なことで政党を除名処分される者、有り得ない理由で逮捕されて失職する者もいました。会長をしている私も選挙には2回落選をしています（笑）。本書では、政治家の志や理想だけではなく、上記のような**逆境をどんな思いで乗り切ってきたのか**、という人間臭さも包み隠さずに書いてもらいました。

そして最後は、**議員を経験しながら、それを自らの意思で辞め、議員以外の方法で社会を変えていきたいというメンバーや、議員ではないけれど、民間人の立場で龍馬プロジェクトのメンバーと共に学び、活動していこうというメンバーの想い**も語ってもらっています。

1人1人のエッセイは字数に限りもあり、単独では十分なものではないと思います。しかし、30名の想いをまとめて読んでいただくことで、**政治に関心のない方でも、「日本の課題の深刻さ」「政治に**

関わり活動することの大変さ」「それでも日本を何とか良くしたいという情熱」を感じてもらえるように本書を構成しました。

興味のあるテーマからでいいので、手に取ってページをめくっていただければ幸いです。

龍馬プロジェクト全国会会長　神谷宗幣（かみやそうへい）

〈目次〉

第1部　リーダーになってできること

首長会の代表として

三重県知事　鈴木(すずき)英敬(えいけい)

龍馬プロジェクト結成10周年を迎え、これまで様々な形で、未熟で成長途上の私たちに対して、ご指導ご支援いただいた全国各地の皆様に対し、改めて心から感謝申し上げます。10年の歴史を刻むことができたのは皆様のおかげです。

ここで、私から、龍馬プロジェクトに所属する知事や市町村長、いわゆる「首長」で構成する「首長会」代表の立場から筆を執らせていただきます。

〈「首長」の存在感が増したこの10年〉

龍馬プロジェクト発足は２０１０年。民主党（当時）へ政権交代がなされた翌年。当時と10年経った今を比べると、地震や風水害等の大規模災害時の危機管理対応や地域の物産の国内外への売込など、首長の任務や活動がクローズアップされる機会が増えたこともあり、我が国政治において、首長の存在感が増してきたと感じていただく方も多いのではないでしょうか。地方分権一括法制定時や「戦う知事会」と言われた時期など、これまでも存在感が発揮される時代は勿論ありましたが、それらはむしろ、制度論や国と対峙する話題が中心で、現実の住民の暮らしに密着したレベルの話題においての存在感とは少し違っていたのではないでしょうか。加えて、これまであまり若い世代の首長が出てきませんでしたが、全国各地で若い世代の首長が増加したことも、この10年間の特徴だと思います。

一方、残念なことに、それらの傾向に反するかのように、各地の首長選挙における投票率は低下傾向にあり、投票行動という形での政治参画に結び付いていないことは大変残念なことです。我々自身も、その現実を当事者として重く受け止め、責任の一端を強く感じなければなりません。

〈龍馬プロジェクト首長会メンバーの特徴　～「2つの軸」～〉

龍馬プロジェクト首長会には、いわゆる「地盤・看板・カバン」（3バン）が全くなく、地方議員や行政職員時代に龍馬プロジェクトに加入し、その後首長になったメンバーが多くいます。それらのメンバーの共通項は、以下の「2つの軸」だと思います。

1つ目は、田中角栄元首相の言葉の「戸別訪問3万軒、辻説法5万回」と全く同じではないにしても、「3バン」がなくても、むしろ、ないからこそ、死に物狂いの地道な活動を展開し、激しい選挙を勝ち抜いた経験を持つという「縦軸」。

2つ目は、龍馬プロジェクトというプラットフォームを活用して、①仲間との切磋琢磨（せっさたくま）による志やモチベーションの維持・向上、②政策立案や遂行に活用できる人的ネットワークの形成、③物事を俯（ふ）瞰（かん）し学び続ける機会の確保、などを行い、就任後早期に成果をあげているという「横軸」です。以下に具体的に見てみます。

〈「縦軸」～地道な努力による激戦の勝利～〉

私は、2009年衆院選に落選後、ご先祖のご縁はあるものの、親戚も同級生もいない中、支持者の方々の協力を得て、三重の地で政治活動を継続しました。辻立ちや戸別訪問など地道な活動をとにかく続けました。2011年4月、民主党政権時、野党である自民党・公明党等からの支持を得て知事選に出馬。当時の与党幹事長がいる三重県で、しかも、相手候補は、与党から支持を受け、かつ選挙で負け知らずの現職の県庁所在地市長。激戦の結果、1万367票差（得票率にして約1・3%差）の37万9472票で勝利。橋下徹（はしもととおる）大阪府知事（当時）を抜き、全国最年少知事に。

﨑田恭平（さきたきょうへい）・日南市長の初陣は、現職市長、与党県議との三つ巴。当初は泡沫候補に近い扱いの中、草の根選挙を徹底。「停滞か、前進か」をスローガンに、次点に3640票差の1万2615票で圧勝。

長野恭紘（ながのやすひろ）・別府市長は、捲土重来を期した2015年市長選で、通算1000回以上に及ぶほど毎日ほぼ同じ場所に立ち続けた辻立ちなども功を奏し、現職勇退後の新人5人の激戦の中、次点に約6000票差をつけて圧勝。

東修平（あずましゅうへい）・四條畷市長は、2期目に挑む現職市長との一騎打ち。現職は2世で知名度も抜群。更に現職を大阪維新の会がサポート。泡沫候補と言われ続けたが、連日連夜のミニ集会を重ねて政策を訴え、約2200票差の1万659票で勝利。

藤井浩人・前美濃加茂市長は、市長辞職に伴う急な市長選で、市議を2年半務めましたが全く無名の中、市議会議員のほとんどが相手陣営につく選挙でしたが、次点に約2200票差の1万1394票で勝利。

〈「横軸」～就任後早期の成果につながるプラットフォーム活用～〉

﨑田恭平・日南市長は、民間と行政の強みを掛け合わせる手法を得意とし、注目されたのが「油津商店街の再生」。シャッター商店街の空き店舗に、IT企業など4年間で29店舗を誘致。地方の共通課題である、空き店舗対策と若者定住対策を同時解決するモデルとして評価されました。

長野恭紘・別府市長は、全国的にも有名になったのが「湯～園地計画」。龍馬プロジェクトで『クラウドファンディング』を学び、これを活用した新たな温泉のアミューズメント化計画を発表。「湯～園地実現」で、150億円以上の広告効果を得て、その後の施策にも活用。政治家は負担増を強いる決断を避ける傾向ですが、観光振興等の新たな財源確保のため、全国に先駆けて入湯税の超過課税導入も断行。

東修平・四條畷市長は、公約の「副市長公募」を公民連携で実行。応募者1700名の中から、0歳児の子育て中である女性を選定（副市長は、日経WOMAN「ウーマン・オブ・ザ・イヤー2020」受賞）。北欧のネウボラを参考にした「スマイルベビーギフト」や加熱式タバコも規制対象とした市内全面禁煙条例など、子育て世代への施策を重点的に展開し、11年ぶりの人口増加を達成。
藤井浩人・前美濃加茂市長は、龍馬プロジェクトのネットワークを活用し、行政マンに自由な発想で前向きに活動してもらう方針を打ち立て、「ウッドデザイン賞」優秀賞（林野庁長官賞）を受賞した「里山千年構想」、「かわまち大賞」（国土交通大臣賞）を受賞した「川を活かしたリバーポートパーク」等の成果を出しました。

〈G7伊勢志摩サミット時における海外メディアの反応　～日本の特殊性～〉

私は、2016年、G7サミット開催の誘致に成功しました。経済効果は、直接効果1071億円、パブリシティ効果3098億円、ポストサミット効果1489億円などですが、それ以上に、三重県の知名度を大きくあげたこと、何事も県民力を結集して「オール三重」で取り組む基盤の確立、県民の新たなアイデンティティの構築、ふるさと三重に対する自信や誇りの醸成、などにつなげることができたことが大きな意義であったと思います。G7伊勢志摩サミット開催を契機に、観光入込客数や観光消費額や県内総生産等は上昇を続け、最新のデータにおいても過去最高を記録しています。
G7伊勢志摩サミット開催にあたり、海外36か国・地域のメディアから三重県に対する取材がありました。当時のG7メンバーのうち、レンツィ首相（伊）が私と同い年（当時41歳）、G7初参加で「イケメン」のトルドー首相（加）は44歳、キャメロン首相（英）は就任時の年齢が43歳、など若い世代の首脳の台頭もあり、同世代の私への海外メディアからのインタビューも多くありました。その中で、「アメリカでは州知事からすぐに大統領になるケースもあるし、レンツィ首相もフィレンツェ市長からすぐに首相になった。一方、日本は、国会議員になって当選回数を重ねなければ首相になれない。この違いが起きる理由をどのように考えるか」と何度か質問されました。これに対して、私は、「それらの国は、日本と比べて、地方分権が進んでおり、その分権が進んだ地方政府をマネジメントした経験や政治手腕が着実に評価されているのではないか。一方、日本は、比較してまだまだ中央集権であり、自治体をマネジメントした経験が重視されることはあまりなく、国会議員として当選回数を重ね、中央省庁との折衝や国会対策などの経験や手腕の評価が重視されるからではないか」と回答。併せて、「これまで我が国では、首長に若い世代がなることが少なく、首長経験後に、国政で更に力を発揮するという時間的余裕もなかったので、それらの国のような事例が出ていないのではないか」とも述べました。

インタビューから5年経過した今、当時より世界は更に進み、首長経験者ではないものの、フィンランド、オーストリア、ニュージーランド、アイルランドなどでは30代の首相が誕生しています。このような傾向と類似する形で、**日本の地方自治体においても、若い世代の首長が出てきていることは、既存政治への不満や、現在の社会システムの変革に対する期待が、地方政治レベルでも出てきている証左ではないでしょうか**。私たち、首長や首長を目指す政治家は、このような機運、変革のチャンスを決して逃してはならないと思います。

〈最後に　〜日本政治の新時代へ〜〉

我が国は、令和の新時代を迎え、タイミングを合わせるかのように、龍馬プロジェクトが10年の節目を経て、新たなステージに突入します。私たち龍馬プロジェクト首長会は、これからの新時代も、「2つの軸」を大切にしながら、各地域で成果をあげ、それらの同時多発的な実践を通じて、日本政治の変革に貢献していきます。また、そのリアルな姿を多くの住民の方々に見ていただき、政治への関心を高め、「政治参画への入口」の1つになっていければと思います。そして、これらのうねりが更に大きくなり、地方自治体をマネジメントした経験や手腕が明確に評価される時代となり、G7伊勢志摩サミットの際に私に取材をした海外メディアが、「日本の政治は変わった」と驚くような将来を、仲間と手を携えて、創り出していきたいと思います。それらが実現した時、確実に、日本の政治が、「新時代を迎えた」と言えるのだと思います。

地方があるからこそ国がある

別府市長　長野恭紘（ながのやすひろ）

〈龍馬プロジェクトと別府市長になるまで〉

龍馬プロジェクト結成10年。とてつもなく暑苦しく濃いメンバーの中で過ごしたこの10年間は、私にとって落選中の最も苦しい時期と重なった激動の10年であり、最も充実した10年であり、それまで生きてきた30年よりずっと長く感じる10年でした。

私は2003年に28歳で市議会議員に当選しました。代議士秘書からの流れで自然と政治の道に入ったわけですが、3年後の2006年に予期せぬ事態が起こります。市有地に大型ショッピングセンターを誘致する、と当時の市長が表明。保革入り乱れて街を2分する騒動に発展します。私は反対派の代表として市長に撤回を迫り、追い詰められた市長は出直し市長選挙に打って出て、反対派の代表である私との一騎打ちに。1万2000票差で私は敗北。しかしこの戦いから逃げず、沸々と湧き上がる『公憤』が私の政治の原点であることに私自身が気づき、政治家としての決意が固まりました。

2007年、再び市議に復帰しますが、当時の自分の活動に満足できず、毎日モヤモヤしていました。そんな時に出会ったのが龍馬プロジェクトでした。神谷会長との最初の出会いは、彼が別の会の世話役をしている時期、私に送ってきたメール連絡からでした。後から考えれば、お互い少し行き違いがあったのですが、最初の出会いはちょっとした衝突からでした。『年下のくせになんて気を使わないやつ』。これが彼に対しての第一印象です。今もその印象はさほど変化していません（笑）。

私にとって龍馬プロジェクトは『大海』で、井の中の蛙であった私にとって実際に仲間と時間を共有し議論を重ねていくうち、もっと勉強したい、凄い仲間に会ってみたいという衝動に駆られ、すぐに行動を共にしました。そして全国各地を回り、多くの仲間と出会うことで私の視野は一気に広がりました。また龍馬プロジェクトに参加するまで、**一地方政治家がこれほど国家のことを考え議論し、**

具体的に行動する必要性など感じてもいませんでした。

しかし、龍馬プロジェクトに参加し、国家や国益のことを常に見据え、その上で地元を見て活動することの重要性をはっきりと自覚しました。

ただ、全国を回り自分を磨くのにもお金が掛かりますし、人に会って議論するのは疲れます。身内や地元支援者からは、もっと地元のお世話をし、地に足をつけて活動しないと次の市長選挙は戦えない、そんな心配もいただきました。今になって反省しますが、そう心配されるということは、まだまだ私の地元での活動が十分でなかったのだと思います。どちらが大事か、ではなく、どちらも大事。しかし**地元での活動をろくにできないうちに国家のことを語ったのでは大風呂敷を広げているだけと捉えられても仕方がありません。**このバランス感覚は、今も私の良い教訓になっています。

龍馬プロジェクトに参加して間もない2011年の統一地方選挙で、2度目の別府市長選への出馬をし、またもや落選。36歳にして2度目の浪人生活になってしまいました。**政治家は選挙に負けると、まず『生活をどうするか』から考えなければなりません。**皆がそんなに後先考えず、背水の陣みたいに戦っているのか？　と思われるかもしれませんが、実は結構そんな人が多いと思います。**自分のことより世のため人のために不条理と戦う、止むに止まれぬ思いがあるのです。**特に龍馬プロジェクトに集う人たちは、そんな義憤に駆られて立候補し、落選し、政治家生命を失った仲間を見てきました。だから血気にはやり、当選の希望も薄いのに立候補しようとする仲間には自身の経験を話し、待ったをかけてきました。勇気と無謀は違います。勝つために毎日努力し、来るべき時のために我慢を重ね、力を溜めておくことが本当の勇気だと今ならわかります。

話を戻すと、2度目の落選後、生活はどうにかできてきたところで、次に政治活動をどう継続していくかという問題が発生します。さらにその先には選挙があります。**理想だけではどうにもならない現実というものがあります。**私の場合、事業をしていた父や兄、家内や家族の大きな理解のおかげで生活を支えてもらい、志に賛同する多くの支持者の方々の支援のお陰で次に向けての政治活動も選挙も戦うことができました。これは本当に幸運だったと感謝しています。**苦しい時に助けていただいた方々や仲間こそ絶対に忘れてはいけません。**今でも、市長になる以前、苦しいときに助けてくれた方々のことを思い出し、いつかご恩返しをする、と心に決めています。

落選浪人中の4年間、龍馬プロジェクトで本当に多くの仲間と出会い、勉強させてもらいました。大学時代や議員時代を通じてこんな実学を学んだことはありません。講師陣の顔ぶれも凄い方ばかりです。度々そのような凄い講師に別府に来ていただき講演や勉強会も開催しました。こんな凄い方々と知り合いだということで、地元での株も上がりました。恐らく龍馬プロジェクト人脈を最大限活用しているのは私ではないでしょうか（笑）。

また父に、あの落選中の苦しい時期に同世代の若い仲間がいなければ、お前はどうなっていたかわからない、と最近言われました。両親も、追い詰められていた私を救ってくれた存在と感じていたのでしょう。龍馬プロジェクトメンバーの皆さんに、この場を借りて心からの感謝を伝えたいと思います。

4年が過ぎ、2015年、市長選の時期が迫ってきました。龍馬プロジェクトで、国家観や世界の中の日本という視点を学びつつ、地域としっかり向き合い、ほぼ毎朝辻立ちを続けたからこそ（通算1000回以上）、3度目の市長選挙への挑戦権を得られたと思います。この3度目の戦いは負ければ引退と決めていました。さすがにこれ以上、支援者や家族に迷惑はかけられない。それを察し、家族も後援会の皆さんも必死で応援してくださいました。私もその想いにさらに押され、活動を加速させました。そして結果は次点候補に6000票以上の大差をつけての、悲願の勝利でした。

〈市長としての取り組み〉

市長になり、一番初めの全国ニュースは、いわゆる『**生活保護費でのギャンブル取締り**』でした。市民から、受給者が保護費で競輪やパチンコをしているがそれで良いのか、という苦情が数多く寄せられていました。どこまで許されるか難しい問題です。多少豪華な食事などは許されても、ギャンブルは許されないと今でも思っています。

また別府らしく、『**遊べる温泉都市構想**』を発表。その第1弾として、60トンのお湯を放射する『湯・ぶっかけまつり』を開催。今年は100トンを放射します。第2弾として『湯～園地計画』を発表。記憶されている方も多いと思いますが、遊園地と温泉を融合させて架空のアミューズメントパークを動画で公開。動画が100万回再生されれば実際に実現させると公約。資金をクラウドファンディングで集め、3日間の限定、夢の湯〜園地を開催しました。資金調達の方法としてクラウドファンディングを活用しました。これも龍馬プロジェクトで出会った方からのアドバイスで実現しました。第3弾は**『東洋のブルーラグーン構想』**。世界一大きな露天風呂を作る構想。間もなく場所を絞り、3年後をめどに完成する予定です。ほかにもユニークな取り組みとしては、**『お悔やみコーナー』**の設置があげられます。これまでほとんどの行政では身内が亡くなって必要書類を取りに来たご遺族をたらい回しにしてきました。そこで最大12課分、66枚の必要書類をワンストップで申請でき、必要であればお持ちするシステムを予算ゼロで確立しました。こちらには視察が殺到しています。

〈地方があるからこそ国がある〉

龍馬プロジェクトに参加した当時は、国会議員の同志を沢山作れば世の中を変えることができると信じていました。それは間違いではないと思っていますが、**市長として確信したことは、『地方があるからこそ国がある』ということ**です。地方議員や首長が成果を上げ、連携し、発信力を高めていくことが結果として世の中を変えていく最短距離だと今は考えています。

そして全国で情報共有ができていないばかりに、多額の費用と時間をかけて同じようなことが同時になされているなと感じます。龍馬プロジェクトのネットワークを最大限活かして同時多発的に、良い取り組みは広げていくべきですし、**龍馬プロジェクトは党派を超えてそれができるプラットフォームになっていると感じています。**

最後に、地元活動がしっかりできていないうちに龍馬プロジェクトでの活動に没頭しすぎると、頭でっかちと捉えられることがあります。それは避けなければいけません。地域での道路や側溝の課題などは全力でやるべき仕事ではないけれど、それくらい朝飯前にできてこそ周囲の理解や信頼を得られることも併せて考えるべきだと思います。要はバランスがとても大切なので、老婆心ながら若いメンバーにはできる限り自分の経験を共有し、その活動を支えていきたいと思います。

1つの町から世の中に変革を

泉大津市長　南出賢一（みなみで けんいち）

〈危機感によって動かされる〉

「**日本社会の問題を地方政治から変える**」を理念に、2010年の立ち上げ前から龍馬プロジェクトに関わってきました。当時から日本の将来への危機意識は強いものがありましたが、この間にその危機感はさらに強いものとなりました。少子高齢化、グローバル化、IT化によって、社会の前提が変わり、これまでの成功体験が通用しなくなりました。

私は、日本を取り巻く、近未来情勢をこのように見ています。右肩下がりの時代となり、今後は円安傾向が中長期に続くことによって、資源、食糧、エネルギーの調達コストは上昇する。外国からはよいところを搾取される構造になる。いき過ぎたインバウンドと円安、デフレが重なると、日本国内は疲弊する。朝鮮半島の統一は10年以内には進む可能性が高い。労働力が安く、資源が豊かな北朝鮮と韓国の動きは、日本の脅威になってくる。合理的判断をするアメリカの動きによっては、領土領海問題で不利な状況になり得る。中国の「中国製造２０２５」では、原料、部品から完成品に至るまでの７割を中国国内で製造するという国家戦略があり、部品供給をしている日本企業、日本経済への影響は必至。

さらに、中国はこの８年間でシリコンバレーに送り込んでいたエンジニアを約２３０万人本国に戻しています。技術力の向上に加え、驚異的な人口規模があります。中国で長年事業を営んでいる地元の会社経営者に中国のお話を伺うと「ハングリーでへこたれない、どんな仕事でも弱音を吐かない、向上心が強く、民度も上がってきている。それに比べて日本人はすぐに弱音を吐くし、すぐに辞める。メディア、教育、社会のあり方によって日本人はどんどん骨抜きになっていく。太刀打ちできなくなるどころか本当に飲み込まれてしまう」とのこと。所得が増えない中で社会保険料増による家計圧迫、疲弊。人手不足と働き方改革。お任せ民主主義……船底に穴が空いていることに加え、大津波がそこまで押し寄せてきています。

〈なぜ市長を目指したのか〉

龍馬プロジェクトの活動を通して、日本全国や海外を訪れ、志高い仲間と出会う度に、**この質の高いエネルギーが集まり活動体になれば、大きな変革を起こせるかもしれないという希望が大きくなっていきました。**

また、私は現代版の松下村塾が必要だとの想いで、2010年から多くの若者を受け入れ、地域住民を巻き込んだまち作りを実践し、「立志教育」を行う活動に心血を注いできました。その結果、育った若者が後輩や地元の子供たちを育て、この動きを地域で応援するという「郷中教育」文化が育まれました。2016年には、一般社団法人松南志塾を設立し、今では立志教育に加え「論語と算盤」をテーマにした活動が展開されるまでに至りました。この活動で感じていることは、**今の子供、若者には社会意識の高い人財が、とても多いということです。**10年前には考えられなかった考えや発想を持つ若者が台頭しつつあります。彼らを主役に地域作りをしていくこと、そして、全国に理念と志を同じくするネットワークが広がり、それぞれが後進を育て、活躍の場を作って支援していく活動を展開し、それらを繋げていくことが、地域だけではなく日本の財産になっていく。そのように感じるようになりました。

エネルギーの高い仲間と社会意識の高い後進がいる。自分は彼らと何ができるのかを考え、まず自分の住む泉大津でモデルを作り、その姿を見せていこうという思いに至り、首長になることを選択しました。それまで市議として約10年間活動してきた間に、全国の仲間と研鑽を積んできたことと、社会課題を解決する考え方やノウハウ、技術を持った有能な仲間に数多く出会えたこと、そして地元泉大津の潜在可能性を確信できたことが、自らの活動への信念を揺るぎないものにしてくれていたことも大きかったです。そして２０１６年12月に泉大津市長選挙に出馬。当時、２期目を目指していた現職に一騎打ちで挑み勝利。２０１７年1月に泉大津市長に就任しました。

〈国際ハブ都市、アビリティタウン構想〉

泉大津市は、関西のへそのような場所に位置しています。南海電鉄で難波、関空までそれぞれ約20分の中間に位置し、高速道路網の要所で近畿各主要都市に1時間以内でアクセスできる非常に便利な地域です。また、国際港湾を有し、堺市以南では最大の岸壁と水深がある港をもっています。さらには今後活用可能な関西最大級の埋め立て未利用空間もあることから、泉大津市は国際ハブ都市を目指しています。人口約7万５０００人で、市域は14平方キロメートルでフラットかつコンパクト。揺るぎない地政学的な優位性に加え、コンパクトシティであることから、市民を巻き込んだ取り組みがやりやすいという好条件がまちに揃っています。そこに、これまで培ってきた国内外のネットワークを組み合わせるという発想から、「**泉大津から日本全国の共通課題の解決モデル事業を、官民連携市民共創で創造する**」という理念のもと、「アビリティタウン構想」を進めています。アビリティタウンとは、人間が本来持つ可能性を最大限引き伸ばすというもの。能力、技能、才能、感性、運動能力等を最大限引き出す、身体機能が衰えても確実に回復することができる、そのための選択肢を官民で執念をもって実現する、そんなまち作りを目指しています。泉大津市民の課題解決だけではなく、ノウハウをまとめ、プラットフォームとなることで、その先には日本全国の課題解決につなげ、やがては海外にノウハウを輸出し、世界を救う一助にしていくというものです。泉大津市から、経世済民のビジネスモデルが育ち始めています。

〈一点突破全面展開で社会に変革を起こす〉

「ブレインブースト」という右脳開発教育が泉大津の学習塾からはじまり、そこに通う子供たちの読書スピードはおそらく世界一だと思います。現在は全国に広がってきましたが、２０１８年から市の施策で実施。受講した小学生は、１冊の本を数秒から数分で読破し、２か月間に５００冊の本を読むような子供も現れてきました。本を後ろのページからでも上下逆さまにしても、読むことができるようです。視察が増え、海外からの来訪者も出てきました。現場を視察した方の多くはその光景に圧倒されますが、子供たちはいたって平然。人間の可能性は計り知れないのです。むしろ、我々大人たちが自分たちの経験則によって子供たちの能力を決めつけ、無意識のうちに抑えつけてしまっているという自覚が必要だと感じています。**「子供たちの可能性は青天井」その事実を浮き彫りにすることで、その真実を目の当たりにした人々の意識は変わります。**多くの書物に自然と触れ、圧倒的な情報量が入ることで、創造力が開花します。ここに志が加わることで、社会を変革していく、救う人財が泉大津から、日本中から育ってほしい。そのための、未来の当たり前を描いた、教育分野の挑戦が始まっています。

次に、薬と手術以外で病気を予防、改善する挑戦も始めています。今の流れでいくと、可処分所得は増えないのに、社会保険料は増加し続け、家計、国民はさらに疲弊します。そのことから、健康分野におけるこれからの当たり前は、毎日歯を磨くような感覚で、「**自分でケアする整える**」です。この考え方と、そのための必須選択肢をいかに官民で創造し、１人１人が実践するかどうかで、日本の将来が左右されるといっても過言ではありません。そのための入り口となるための取り組みとして泉大津市で進めているのが「あしゆびプロジェクト」です。

実は日本人の約８割の足部は、浮指や扁平足、外反母趾（ほし）といったなんらかの不具合を抱えています。幼児教育現場で１００名の足型をデータ化したところ、ほぼ全員の足指が写りませんでした。姿勢が悪い、怪我をしやすい、冷え性、不定愁訴、転倒骨折、等々。建物と同じで、土台が崩れると当然、時間と共に上半身にかけても悪影響が出ます。昔は和式トイレだったので毎日筋トレをしていました。鼻緒（はなお）のついた草履や下駄を履いていたので自然と鍛えられました。裸足で過ごすことや運動量も減っています。**利便性と機能性向上、和の文化の喪失によって、日本人の体は退化をしています。**この見過ごされていた「足」に着目した取り組みを推進しはじめたところ、根本的課題解決を追究している人材や企業が多く集まり、多岐に亘る取り組みが実装されはじめています。ケアの方法や鍛え方、推奨アイテム作りの参加や販売、実証実験を官民で行い、蓄積されたノウハウはネット上から誰もが見られるようにしています。今では、子供の運動能力が飛躍的に向上、姿勢や動作がよくなり、インフルエンザが激減するという結果や、膝痛腰痛がなくなる、杖なしで歩けるようになる、冷え性が治ったという実例がたくさん生まれています。

2つの事例を紹介しましたが、推進におけるポイントは3つです。**「ゼロイチモデル」を先駆けて作るための「実証実験フィールド」を提供すること。エビデンスは存在していなくても、「課題が解決する」、「人間の能力が驚異的に伸びる」といった事実を重視すること。やるという決断と、やり切る覚悟です。**エビデンスや科学的根拠から入ってしまうと、多くの可能性が潰されてしまう懸念を持っています。だからこそ、事実にスポットを当て、市民参加型で取り組みを行い、事実をどんどん浮き彫りにしていく。これらの動きを全国の同志が同時多発的に実践することから、世の中に変革を起こしていけると信じています。

歴史戦を戦う政治家に

衆議院議員　杉田水脈（すぎたみお）

〈人生を変えた「龍馬プロジェクト」との出会い〉

私は30代後半まで、仕事と家庭との両立を頑張る1人の地方公務員でした。このままでは日本は持たないという漠然とした不安は感じていましたが、それを自分がどうこうしようという気は全くなく、「将来はどこか海外に移住すればいいよね」「しっかりお金貯めなくちゃね」などとエンジニアの主人と話していました。

そんな私に強い衝撃を与えたのが、今村岳司（いまむらたけし）氏（当時西宮市議会議員、後に西宮市長）、鈴木英敬氏（当時経済産業省課長補佐、現三重県知事）との出会いでした。私よりも年下の彼らが真剣に日本のことを考えている。**日本をあきらめてしまうのは、自分ができる限りのことをやり、力を尽くした後でも遅くないのではないか。**そう考えるようになりました。

そしてもう1人、力強い同志との出会いがありました。それが鈴木英敬氏から紹介された「龍馬プロジェクト」代表である神谷宗幣氏です。初対面にも拘らず、「これからの日本をどうするか?」「自分には何ができるのか?」などについて2時間ほど熱く語り合い、その場で私も「龍馬プロジェクト」のメンバーになりました。18年間勤めた市役所を辞め、国政を目指す決意を固めたのとほぼ同時期のことです。

「過去と他人は変えられない。自分と未来は変えられる」

これはいつも肝に銘じている座右の銘です。「周りを変えたいならまず自分が変わろう」と努力するようにしています。一方で世の中には稀に「人を変える力」を持っている人間が存在します。それが今村岳司氏、鈴木英敬氏であり、神谷宗幣氏でした。

多くの若手地方議員が集う龍馬プロジェクトの中で私は明らかに「異質な存在」でした。民間そして公務員として勤務した経験はあるものの、政治家秘書や地方議員等の政治経験はゼロ、家族や親戚に政治家は全くいません。そんな40歳を過ぎた「おばさん」がいきなり国政を目指している。みんな面と向かって言葉にこそしませんが、「頭大丈夫か？」と思っていたに違いありません（笑）。それでも、各地のキャラバンに真面目に出席し、持論を言い続ける最年長に近い私をいつしかみんな「姉さん」と呼んで慕ってくれ、選挙のノウハウなども色々と教えてくれるようになりました。

龍馬プロジェクトは、トップの神谷氏を始めとして、集っている若手議員も前向きに努力を怠らない、探求心の強い人間ばかりです。一緒に憲法や皇室のこと、外交や防衛について学び、今、日本に何が必要なのか真剣に議論を重ねました。この危機感を共有できる仲間を増やそうと地道な努力を続けているうちに、メンバーは瞬く間に２００人を超えました。

10年間に人の入れ替わりはありますが、コアメンバーはほぼ替わっていません。男性も女性も気持ちのいい人たちが集まっています。仕事で大変な目に遭っていても、時間をやりくりして龍馬のイベントに参加するといつも原点に戻って元気になります。お互いに切磋琢磨し、志を磨きあう場が龍馬プロジェクトです。国会議員になった今でもそれは変わりません。ひとたび選挙となると励ましあい、全力で支えあいます。単なる選挙互助会ではなく、まさしくやる気のぶつかり合いとなります。私の選挙の時も党派を超えてみんなが応援に駆けつけてきてくれました。その時の心強かったことと言ったら……。今思い出しても涙が出そうです。このときの感謝の気持ちを忘れたことはありません。

龍馬プロジェクトの仲間との出会いがなければ、今の私はありません。

〈歴史戦を戦う政治家に〉

私と慰安婦問題の出会いは2012年の夏、龍馬プロジェクトのアメリカ研修が始まりでした。ワシントン、ニューヨーク、ボストンをめぐる10日間の研修の間に、元国務副長官のリチャード・アーミテージ氏、政治学者のマイケル・グリーン氏、外交問題評議会のシーラ・スミス氏など、親日派や知日派とされる知識人の方々と直接会ってお話しする機会に恵まれました。すると皆さん、同じ話をされるのです。

「これからは中国が世界の脅威となるだろう。アメリカと日本、そして韓国。民主主義国家である我々3国がしっかりと手を結んでその脅威に対峙していかなくてはならない。しかし、なぜ日本はこれほどにまで韓国と仲が悪いのか」

その上で「**日韓関係がぎくしゃくしているのは、慰安婦問題で日本が韓国に謝っていないからだろう**」などと勝手に決めつけるのです。

私は当時、慰安婦問題はすでに解決済みであり、左翼的な思想を持つ一部の人たちだけが騒ぎ立てているものだと思っていたため、なぜアメリカの識者が口を揃えてこのようなことを言うのか理解に苦しみ、釈然としないまま帰国しました。その後に彼らが根も葉もない話をしているわけでもないだろうと考え、慰安婦問題について改めて調べ直すことにしました。そしてこれが日韓両国間に止まらず、アメリカをはじめ多くの国々も巻き込んだ大きな問題に発展していることに気づかされました。

そして、この年の12月に行われた第46回衆議院総選挙で初当選し、以来いわゆる「慰安婦問題」に真正面から取り組んで来ました。カリフォルニア州グレンデール市に建立された慰安婦像を2013年末に、現地視察しました。慰安婦像の設置から、日本が非人道国家であるという悪評が流れ、日本人や日本人の子供に対する非難や中傷、いじめまで発生しているとの現地在住邦人の方からの声を基に、2014年2月、衆議院予算委員会で質疑を行いました。

日本政府において慰安婦に関する事実関係の検証が行われました。強制連行・性奴隷を訴えた元慰安婦の方たちの証言を裏付け証明する史料は見つからず、朝鮮人女性が20万人強制連行されたという数字にも根拠がありません。一連の「強制連行」についての根拠とされていた吉田清治（よしだせいじ）氏の証言そのものが虚偽であることが明らかになり、朝日新聞は、2014年8月5日付の朝刊で虚偽の証言を鵜呑みにして報道していたことを認める記事を出しました。

この問題に取り組んでいた最中、2014年12月の解散総選挙で私は議席を失うことになります。しかし、民間人の立場でも、2015年7月、ジュネーブの国連欧州本部で開かれた女子差別撤廃委員会で慰安婦問題について、山本優美子（やまもとゆみこ）氏（なでしこアクション代表）らとスピーチをする機会が与えられ、「事実とは異なる」という趣旨のスピーチを行うなど活動を続けていました。

政治家が国民の生活に直結するような課題に取り組むことは勿論重要です。しかし、慰安婦問題のように、日本と日本人の名誉が損なわれるような問題にも取り組む政治家がいなければ、在外邦人の子供や旅行者が迫害や差別を受け、国益や国民が守れません。「歴史戦」に真正面から取り組む国会議員も必要だと考え、時にお叱りも受けながらも女性だからこそ発信できることがあるのではないかと考え、活動を続けています。

〈どんな方法を使ってもいいから上がってきなさい〉

２０１２年５月、龍馬プロジェクトの会議にゲストとしておいでいただいた安倍晋三氏（当時は総裁選に出馬される前）の挨拶の中で、人生を大きく変える言葉に出会いました。

安倍氏は緊張している国政志望の我々10名に向かってこう述べられました。

「**まず、どんな方法を使ってもいいから、（国会へ）上がってきなさい。1度、バッジを付けてみなさい。そのためには風でもなんでも利用しなさい。今、維新に風が吹いているというのなら、それを利用するもよし。できることはすべてやって当選してバッジを付ける。話はそれからです**」「**バッジを付けてからも色々淘汰されます。でも本物は残ります**」

とにかく勝ちにこだわれ、そしてバッジを付けろ。今でも私の胸に深く刻まれている、まさに天啓とも言うべき、衝撃的な言葉でした。この言葉に背中を押されるように行動を起こします。

私は当時、「みんなの党」の支部長でしたが、後に合併が期待された日本維新の会との決裂を受け離党、維新の会に移籍し、２０１２年の総選挙に臨みました。そのとき新聞記者から「なぜ維新に行くのか」と理由を聞かれ、私は「とにかく勝ちにこだわりたい。１％でも勝てる可能性が高い党で戦いたい」と答えています。小選挙区では敗れましたが、比例復活で近畿ブロック最後の議席を得て初当選を果たしました。惜敗率１％差で競り勝ちました。取材に来た記者は「本当に１％の差で勝ちましたね」とびっくりしていました。

〈仲間を鼓舞し、学びを促す〉

このように私の政治活動のターニングポイントにはいつも龍馬プロジェクトがありました。その活動もはや10年。設立当時の若手もすっかり中堅になりました。私も50歳を超え、3年間の浪人期間を経て、２０１７年10月、自由民主党公認（衆議院比例中国ブロック）で2期目の当選を果たしました。

10年前には何者でもなかった私が、仲間との出会いで、こうして代議士を務めています。この本を読まれているあなたも「社会を良くしたい」「日本をいい国にしたい」そんな想いがあり、志のある仲間との出会いがあれば、できないことはありません。私も浅学非才を日々反省しつつ、少しでも「本物」に近づけるように政治活動に励んでいるところです。龍馬プロジェクトには、仲間を鼓舞し、学びを促す、そんなパワーがあります。私もそのパワーを周囲に広げていく1人であり続けたいと思います。

第2部　現代の志士たらん

多くの国民を巻き込む大国民運動へ

吹田市議会議員　石川（いしかわ）　勝（まさる）

龍馬プロジェクト立ち上げ以降の10年間は、私の人生の激動期で、生きた心地がしない場面が幾度もありました。だからこそ今生きているということが有り難くてたまりません。なにより政治家として生きる自分の人生道がみつかったことを、心から嬉しく思っています。出会ってくれたみんなのお陰です。ありがとう。

〈議員やからできるんかい！〉

私は24歳で青年会議所運動に参加し、31歳で理事長を務めるなどＪＣ運動にかなりのめり込んでいました。ある日、まち作りイベントの企画を進める中、行政に相談をしたことがありました。良い返事を頂けないことがあって困っていたところ、議員さんにその話をしましたら行政担当者に話を通して下さって、即解決！　という経験をしました。今振り返って思うに（誠に失礼な話なのですが）、ありがたいという気持ち以上に「**議員やからできるんかい！**」**という悔しさと憤りを感じました**。そのことがあって以降、「議員って力あるんやなあ。俺が議員やったら、もっと吹田のためにチャレンジできるのに……」と、今となっては恥ずかしいですが、そういう自信過剰な思いがこみ上げてきました。と同時に、そのころの私は37歳、13年間休まずやってきたＪＣ運動に費やした多額のお金と時間についても気になりだしていて、「一体なんのための13年間だったのか、今後の俺は何をすべきなのか？」と考えるようになっていました。そして「議員になったら多額のお金をもらいながらまち作り運動ができるし、時間もこれまで以上に使える。政治の実態はもちろん選挙のことも全くわからんけど、できない理由は考えずに、いっぺん勝負してみたろか！」そんなことがきっかけで議員になりました。

〈生涯をかけてやる政治の目的は何か〉

そうして、議員になってみたものの、無所属であり政治に無知な私は、無力な存在でしかありませんでした。議会ではＪＣと同じように、市長や議員達みんなで協議して施策を進めるとばかり思いこんでいた私は、数の力や党利党略、私利私欲に直面し、「これが本当に私が生涯かけて尽くしていく道なのか？」「支援して下さった方になんと説明すれば良いのか？」と迷いはじめていました。

そんな時、林英臣（はやしひでおみ）政経塾の政治家天命講座という学びの場があるので、参加したらどうかと声をかけてくれたのが、同期当選の神谷宗幣議員だったのです。そうして通い始めた林英臣政経塾での学びの1つに文明法則史学という学問があり、その研究によると世界の文明の中心は８００年を周期として西と東が入れ替わっている事実が証明されていて、ちょうど現在が、アメリカ・ヨーロッパを中心とした西の文明から、東アジアを中心とした東の文明に入れ替わる時期だということを学びました。さらにその転換の起点は2020年から2025年ごろになり、日本がその中で大きな役割を果たすという話も聞けました。このように考えると、日本に文明転換の担い手となる政治集団が必要ですが、政治の世界を見渡してもそのような集団が見当たりませんでした。それならば「自分たちがなんとかするぞ！」と決起したのが、龍馬プロジェクトを始めたきっかけです。

〈龍馬プロジェクトの歩みと落選〉

龍馬プロジェクトで最初に取り組んだことは、全国各地の同じような思いをもった人たちを集めて我々の手で国家ビジョン（国是）を創ろうということでした。そこで、キャラバン隊を結成して全国を回ったのです。当時は、我々の思いを理解してもらうためにかなりの労力がかかりましたが、この時一番役に立ったのがＪＣのネットワークです。何事も一所懸命やったことは後で返ってくるのだと学びました。

キャラバンでの苦労話は、それだけで本が書けるほどですが、誰もやったことのない挑戦へのワクワク感と、誰かがやらねばならない！　という使命感、そして少しばかりの不安な気持ちなど、経験した者にしかわからない境地だと、つくづく思っています。

キャラバンも順調に進み2010年の6月には政治団体の設立総会を迎えることとなりました。安倍晋三代議士をはじめとする政治家の方々、思想家の先生や各界各層の賛同者にもご参集賜り盛大に開催でき本格的に活動が始まっていきました。そして我々の日本改新への行動は、圧倒的に不利といわれていた金沢市長選挙で勝利し、全国最年少知事となる三重県知事の誕生や、数々の市長や国会議員の選挙での勝利へとつながっていきました。

私としても、全国の仲間を巻き込んできたことと、当時の橋下知事との連携も一時的に進んでいたことから、今やらずしていつやる！　の思いで２０１１年の吹田市長選挙に出馬しましたが、大きな力の前に惨敗してしまいました。市議選で中心になって応援して下さった方々の約90％に出馬をやめるべきだと言われましたが、そのアドバイスを振り切っての闘いでしたので、その後は引退を視野に入れた龍馬プロジェクトの活動となっていきました。

私の落選から1年半ほど経ったころ、神谷会長から1本の電話が入りました。地元吹田市を離れて衆議院選挙に出るというのです。相談ではなく報告だったので、私の思いはぐっとこらえて、すぐに慣れない地へと出撃しました。どう考えても勝ち目はないと思いはしたものの奇跡を起こすためにがむしゃらに闘いましたが、こちらも残念な結果となってしまいました。私を取り巻く環境は更に複雑な状況となっていきましたが、私の心境や活動とは裏腹に神谷会長の行動は更にパワーアップしていき、その流れが現在へとつながっています。

〈行動したことによって得たもの〉

良くも悪くも神谷会長に振り回され、数々の試練に直面した私ですが、たとえ無謀であったとしても、**行動したことによって得たものがたくさんあります。**共に戦い、堅い絆で結ばれた同志と、真心で活動を支えてくれる支援者と出会うことができました。そして自分の思いを語ることで覚悟を腹に落とすことができ、己の政治家としての生き方が少しずつ定まりました。「**艱難（かんなん）辛苦は汝を珠（たま）にす**」これを体感してきた10年でした。龍馬プロジェクトを立ち上げていなかったとしたら、私はどこにでもいる地方議員として無難に行政の制度設計論やアカデミックな政治論を語る政治家になっていたと思いますし、選挙に当選しやすいようにどこかの国政政党にも所属し、いわゆる普通の議員として地元活動に勤しんでいたと思います。しかし、龍馬プロジェクトを立ち上げようと志した時の想い、その後の多くの人との約束、これがあるので厳しいとわかっていてもこの道を選んだのだと思います。10年前には馬鹿者の集まりと言われた我々ですが、現在では多くの人が「龍馬プロジェクトは……」と話題に出してくれるまでになりましたし、関連組織も含めて超党派の日本最大の政治グループを形成できたと自負しています。

〈多くの国民を巻き込む大国民運動へ〉

現在、龍馬プロジェクトの幹事長を務める私は、このプロジェクトが今後新しいステージへと上がっていくべきである！　と提案しています。政治家にはより高いレベルの質と行動を求めていき、一般会員へは仲間を増やす役割を担ってもらうなどして、また経済界には資金提供を具体的に提案していくべきだと思っています。そして、一流の経営者が政治家になってもらうために龍馬プロジェクトが登竜門的な役割を果たすような存在になるべきだと思っています。来るべき時期、つまり冒頭で述べた世界を救う日本の天命・使命を果たす時を見据えて、他の組織体とも団結し、多くの国民を巻き込む大国民運動へと進んでいくだろうと予想しています。またＡＩの登場に象徴されるように世の中の動きや価値観がどんどん変化していきますので、政治のスタイルも変わっていくでしょう。れいわ新選組やＮ国党が一定の支持を得たことは変化の入り口だと感じていますし、政治家は選ぶものという感覚ではなくて政治家はみんなで創るものといった風潮になると思います。そうしたことからも神谷会長が積み重ねているネット配信の番組や政党作りの投げかけなども、やがて多くの国民が知るところとなるでしょう。

最後に、これから同志となってくれるあなたに伝えさせてください。

事は１人から起こるが、１人では進まない。己が器量を磨き、仲間を応援すれば、道は必ず開けるので、一緒に国家国民を救う大欲に生きようではありませんか。世界の大転換期に政治家として名を連ねた者の天命・使命を歴史の大舞台に上げていきましょう。

義を見てせざるは、勇なきなり

金沢市議会議員　高岩（たかいわ）　勝人（かつひと）

〈「３ない議会」という現実を前にして〉

龍馬プロジェクトが産声をあげた10年前、私は金沢市議会議員になって３年が経った頃でした。年齢は42歳と世間一般ではおっさんの年ですが、議会では十分若手でした（笑）。

当時の私は、市民からの要望や苦情を行政に伝える橋渡し役が議員の仕事だと思っていましたので、市民の声を聞くために地域の行事や会合など人が集まる所には積極的に出かけるようにしていました。ところが、市民の声を市長や職員に伝えても、慎重姿勢を崩さずなかなか前に進みません。市長も職員も市民の１人として街を良くしたいと思って仕事をしているはずなのに、なぜ市民の声を聞いてくれないのかと疑問に思いましたが、議員には予算執行権がないことが影響していると思われます。予算執行権・人事権は市長特権です。この権限は同時に、全ての責任を市長が負う義務も併せ持っていることから、施策が愚策と批判された場合、その施策が議員提案だったとしても市長が批判を受ける立場になることから、市長も職員も慎重にならざるをえないわけです。ただし、市民の負託を得て当選してきた議員の提案は決して軽いものではなく、市長同意があって予算化されますが、予算執行権・人事権を持った市長は庁舎の中では無敵な存在として、市長を納得させるのは容易なことではありません。その一方で、議員には議決権が与えられています。市長提出議案でも議会がおかしいと判断すれば否決もしくは修正をかけることが出来ます。無敵の市長でも勝手なことが出来ないように議会がチェックする仕組みを二元代表制と言いますが、その二元代表制が機能していない自治体が少なからず存在します。それが、「３ない議会」と言われるものです。

1．市長提出議案を否決もしくは修正をかけたことがない。
2．議員側から条例（案）を提出したことがない。
3．議員個人の採決の態度を公表したことがない。

「3ない議会」は、議会としてのチェック機能が働いていないとして批判されていますが、その背景には、首長が多選で長期政権になり、議会は長老達が幅を利かしているため、首長と長老達の関係が馴れ合いになっている場合に多く見られます。この状況を打開することは極めて困難です。首長が本気になれば、議員の地元に圧力をかけることなど容易ですから、当選間もなく地盤が固まっていない若手からすれば、狙われたら政治生命の危機です。当選したとしても、長老に逆らえば議会内で冷や飯を食わされ、議員活動に支障が出ます。私が初当選した頃、金沢市議会は「3ない議会」でしたが、当選間もない私に出来ることはないと思っていました。

〈義を見てせざるは、勇なきなり〉

2010年春、神谷宗幣氏と出会い、「義を見てせざるは、勇なきなり」という言葉を知りました。それから、私の意識に変化が起こり始め、その年の秋に「市政刷新」を掲げて仲間の議員数名と決起し、金沢市に新しい市長を誕生させました。その後も議会改革に着手し、金沢市議会は「3ある議会」になりました。

ところが、決起の旗振り役であった私には大きな代償が伴いました。市政刷新の名の下に知らずして人を傷つけてしまったことが原因で、多くの敵を作ってしまったのです。4年後、その反撃が私と新市長に襲い掛かり、市長は市政を混乱させた責任をとって任期途中で辞職（出直し選挙で再選）。私は議員生命を失う寸前まで追い込まれました。当時、マスコミは、私と市長を犯罪者のような扱いの報道を繰り返し、議会では百条委員会の設置が決定し、市長とともに証人として出席を命じられ、事態は終わりを見せないまま、統一地方選挙に突入しました。私に対してのイメージは最悪の状態で選挙を戦うことになりましたので、言うまでもなく落選を覚悟した大変厳しく苦しい選挙戦になりました。この時ほど、私を支えて下さった方々にありがたいと感謝したことはありません。今もこの時の感謝と恩は忘れていません。

私が市政刷新という金沢市を2分するような行動に出たのは、間違いなく神谷宗幣氏に影響を受けたからです。神谷氏が頑張っているのだから俺も勇気を出そうと思ったのです。今では2人の笑い話ですが、この時のことを振り返って「神谷君に会わなければ俺は政局に巻き込まれなかった。神谷宗幣被害者の会の筆頭やわ（笑）」と言っています。

〈議員の仕事とは何か〉

2010年春、神谷宗幣氏が金沢を訪れた目的は、発足間もない龍馬プロジェクトのメンバー探しの為でした。日本青年会議所で出会った石川勝氏の紹介で会うことになったのですが、その当時、2人は共に吹田市議会議員です。私と同じ地方議員でしたが、考えていることや行動がまったく違うと感じました。

神谷宗幣氏は一回りも年の離れた我々に、**「地方議員は自分の街を良くしたいと活動をしていますが、それだけでは木を見て森を見ずの状態です。豪華客船で自分の部屋をどれだけ着飾っても船が沈んでしまえば意味がありません。自身の自治体を想うなら見識を広めましょう。日本が今どういう状況なのか。世界の流れのなかで日本はどうあるべきか。ここを掴まないと地方議員の職責を果たすことは出来ません」**と言い放ちました。これまで、市民と行政の橋渡し役が議員の仕事だと考えていた私にこの言葉は突き刺さり、私の心を大きく揺さぶりました。そこで、龍馬プロジェクトに魅力を感じて入会することにしました。

入会してまず驚いたことは、勉強熱心で志が高い地方議員がこんなにもいるのかということでした。後で分かったのですが、彼らの多くは林英臣政経塾で学んでいて（後に私も入塾）、すごい人達がいるなぁと感心したものです。12年余りの議員活動の経験から思うのは、**周りに流されず正論を言い切れる議員が1人でもいれば、物事の結論は案外間違った方向へはいきにくいということです。**その意味では、龍馬プロジェクトや林英臣政経塾には、しっかりと発言する地方議員がたくさんいますから、地方議会にもまだまだ期待が持てると思っています。

〈国民がどんな政治家を育てるか〉

投票率の低下が止まりません。投票に行かない理由は「政治に期待しない」「自分の1票で変わるとも思えない」「投票したい候補者がいない」など様々あると思いますが、これを政治家側から見ると、「投票に行ってくれないのなら、行ってくれる人の声を優先しよう」という気持ちになります。その結果、投票率が高い高齢者に手厚く、投票率が低い若年世代に手薄いという状況を作ってしまいました。社会保障に比べて、子育て支援が手薄いのはその典型です。この状況を打開するには、**政治家も国民も声を上げて行動に移すしかありません。**香港市民はこのことが分かっているから、声を上げて仲間を募りデモを起こし、香港区議会議員選挙では、過去最高の投票率で多くの仲間を区議会議員選挙に当選させました。区民の1票が香港の政治状況を変えた瞬間です。しかし、これからが大変です。勝手な想像ですが、今回新たに当選した区議会議員に対して中国政府からの圧力や懐柔工作が始まるだろうと思います。その時、その区議は毅然とした態度を取り続けることが出来るのか。中国政府の圧力は相当なものと思います。そんな時、もっとも頼りになるのは支援者の方々です。支援者の方が離れずにいてくれさえすれば、迷わず進むことが出来ます。同時に、支援者は当選させることだけが目的ではなく、どのような政治家に期待し育てるのか。そこも重要なところです。**社会は徳のある指導者の下で発展し、愚かな指導者の下では疲弊し、最後は崩壊します。**このことは歴史が証明していますので、どのような人物が政治を担うかで私達の社会が決まると言っても過言ではありません。

〈弱く小さな存在でも〉

龍馬プロジェクトでは、様々な研修や人との出会いを通して、鳥の目虫の目で社会を捉え、「地方から日本を元気にしよう」と活動を続けています。発足当初は、地方議員が中心でしたが、国会議員や知事、市長、町長と首長も誕生するようになり、最近では企業家や学生など政治家でない人達もたくさん入会してくださり、メンバーの層が一層厚くなってきました。神谷宗幣氏の発信力も益々高まり、イシキカイカク大学やCGSなどネット配信を通じて新たな理解者も増えてきました。私達の活動はこの10年で少しずつですが、形になってきたと言えます。

たゆまざる　歩みおそろし　かたつむり

地方議員はかたつむりのように弱く小さな存在かもしれませんが、まとまって歩くことで大きな力を生み出せると信じています。これからも自分の役割をしっかりと認識し、絶えず前に進んで行きたいと思います。

何故、幕末志士の想念に魅了されるのか

愛知県議会議員　日高(ひだか)　章(あきら)

〈幕末志士の想いを受けて〉

大政奉還から１５０年以上の時が流れた現代の日本において、今もなお、私たちの心を揺さぶる幕末志士の言葉が数多く残されています。これらには、国を想いながら若くして散っていった魂の息吹が刻印されているのです。それゆえ、彼らの尊い志が想念として時を超えて伝わってきます。むしろ、現代の日本人こそ、その言葉に情動的に駆り立てられ、突き動かされるのです。

かくすればかくなるものと知りながら　やむにやまれぬ　大和魂

吉田松陰（よしだしょういん）が残した言葉であり、失敗に終わったアメリカ密航計画について、獄中で振り返って詠んだ歌とされますが、そこには我が身を顧みず、ひたすらに国に尽くそうとした想いが真っ直ぐに込められています。自我自欲でもなく自己満足でもない、純粋に国を愛し貢献しようとした志が実直に表されているのです。これほどにも純真利他であるからこそ、その言葉には力があり、言霊となって多くの志士を魅了し続け、当時の閉塞した日本に変革がもたらされたのでしょう。その歴史的事実と共に、潔くも儚い尊さをもって、後世にも生々しく伝わるがために、現代の日本人の心も否応なく共鳴するのです。

安政の大獄によって吉田松陰が再び投獄され、斬罪となって以降、多くの志士たちが短い生涯を閉じていきました。恐らく、最後は皆、松陰が指し示した観念と同じような想いであったことでしょう。しかしながら、志士たちのそれぞれの経緯をたどれば、彼らが尊皇攘夷を掲げ、闘いにのめり込んでいった背景には、各々の事情があったはずです。きっかけは単純であったかもしれないし、理解できぬほど複雑であったかもしれない。ただ、総じて言えることは、松陰のような世界観をもって行動に及んだ者は希であり、誰しも最初から確かな国家観を備えて奮闘していたわけではなかったということです。家族のために始めた闘いが、地域を挙げての闘いになり、藩のための闘いになり、日本（国家）のための闘いになっていったのです。突き詰めては、国家という概念を初めて意識し、日本なくして藩も地域も家族もないという、明確な世界観と国家観に目覚めたとき、やむにやまれぬ想いが沸き起こったのであります。この刹那的な史実の集合体としての時代絵巻だからこそ、幕末志士が残した言葉は今もなお、日本人の心を突き動かすのです。

このような観念は、単なる歴史的ロマンスに留まることはありません。現代の日本にも、現代なりの閉塞感が漂い続けているからです。そのような中で、近年、日本国内の病理と海外事情の緊迫化に鑑み、日本の行く末を心底憂い、立ち上がった若きリーダーたちがいました。後に龍馬プロジェクト会長となる神谷宗幣（当時、吹田市議会議員）と、盟友の鈴木英敬（現、三重県知事）をはじめとする仲間たちであります。数人から始まった彼らの活動は躍然として、快活に全国を縦横無尽に駆け巡り、独自の理念とビジョンを説いて廻り、瞬く間に、共感して立ち上がる仲間を増やしていきました。

こうして、全国の若手政治家を中心として同志が集結し、２０１０年、龍馬プロジェクト全国会が誕生したのです。

〈地域のために尽くさねば〉

私は、三十路をすぎた頃、研究職として勤めていた化学メーカーを退職して実家に戻り、家業である町工場、日多加産業に入社しました。当時、社長であった父は、研究職を辞めることに最後まで反対していましたが、私は企業家として故郷の発展に尽力したいという子供の頃からの夢を叶えたい一心で、転がり込むように入社しました。そして直ちに、地元の大府青年会議所（ＪＣ）に入会しました。この時、31歳、いよいよ地域に尽くすためのスタートラインに立ったと、身震いするほど興奮したことを覚えています。

青年会議所時代には、実に多くの仲間との出会いがあり、今でも仲間との絆が最高の財産となっています。それだけの濃密な時間を彼らと過ごしてきたのです。まさに青年期の10年間は、ＪＣこそライフワークであり、「俺たちがこのまちの未来を拓く」という自負がありました。38歳で大府ＪＣ理事長、39歳で日本ＪＣの愛知ブロック会長に就任しました。このころ、鈴木英敬三重県知事が、当時、衆議院選挙で落選して浪人ながら鈴鹿ＪＣに入会していました。彼とは、同じ東海地区の役員として共に行動したことが縁で、その後も親交を重ねていたため、後に、龍馬プロジェクトに誘われることになります。結局、ＪＣ時代には、地域と日本の未来を拓くとの想いは膨らむばかりでありましたが、張り切って活動しても、行政の反応は期待するほどでもないことに失望することもありました。ゆえに、1人の国民としても、一企業家としても、青年会議所としても、できることには限界があると感じ始めていました。

40歳でJCを卒業し、次は商工会議所の立場で地域作りに励もうとしましたが、商工会議所をもってしても行政の壁は厚く、満足のいく手応えは得られずにいました。その頃、先代社長の父が急逝して町工場の代表に就任していたので、社業に専念する必要がありましたが、地域のために尽くさねばという、やむにやまれぬ想いに溢れていました。かくなる上は立つべきところに立たねばならぬとの思いから、45歳の時、大府市議会議員選挙に初挑戦し、初当選しました。早速、思い描いてきたことを矢継ぎ早に議会で提案していくと、少しずつ成果も生まれるようになり、確かな力を得たかに思えました。しかし、公職としての視野が広がるにつれて、市議1人の力の限界を痛切に感じるようになっていました。

〈地域と国家に尽くす気概で広がる輪〉

そのような折に、鈴木知事からの誘いを受けて、龍馬プロジェクトに入会することとなりました。仲間に加わると直ちに、全国で、同じような志で活動する仲間との繋がりができ、かつてないほどの光明を感じました。「龍馬」の名を冠するチームらしさがそこにはありました。150年以上昔の幕末志士たちも、こうして日本中の同志と交わっていく中で、同じように意気揚々と感じたことでしょう。**会の中で見聞きすることは、自己の不足を補うに十分なものでありました。**仲間と時間を共有するだけで、己の観念の広がりを感じることすらありました。だからこそ、この会の仲間を増やしたいとの思いが強まり、政治に興味を持つ仲間や地元議員を次々に誘っていきました。実は当時、我が地元（東海地区）では、その活動が休眠状態に陥るほどメンバーが減少していましたが、1、2年後には、龍馬プロジェクト全国会を底上げするほど、東海地区の会員数は増加していました。気付けば、私は、東海ブロック長となり、今では、全国会の副会長にまで押し上げて頂いています。

　こうして、東海地区の龍馬プロジェクト活動も賑やかさを取り戻した訳ですが、これは切実な地域事情の表れと考えます。東海地区には、言わば、日本の憂いを凝縮したような地域特性があり、その危うさに気付いた若手政治家が次々に仲間に加わったという真相がそこにあります。また、超党派で集結していることも特筆すべき点です。**皆、「龍馬」という名に現状打開の可能性を求め、幕末志士の言葉に共感し、地域と国家に尽くす気概を抱くからこそ集うのです。**このような我々の愚直な想いと行動が、地域から日本の未来を変革していくものと確信しているのです。そのような可能性をほのかに指し示す一つのエピソードを、最後に紹介しておきたいと思います。

　大府市議会議員時代に、10歳年長の革新系政党の議員と同じ委員会への所属となったことがありました。私は、革新的心情を探る好機と考え、積極的に近づきました。武闘派かつ論客議員として名高い彼は、一定の距離感を保ち、容易に私を近づけようとしませんでしたが、ある県外視察の折に、視察後の懇談会で酒を飲む機会がありました。私は迷うことなく接近し、地域と日本の将来についてとことん話しました。互いに理解が深まり、地域と国家を想う観念や価値観は同質であると理解し合いました。彼の心情はシンプルであり、弱者の力になりたいという視点が基本でありました。そのことに同意しつつ、その上で1つだけ、我が心情も話すことにしました。松陰の言葉に準（なぞら）えて、やむにやまれぬ想いを抱き、大和魂を大府魂、愛知魂として詠み変えて、信条としていることを訥々（とつとつ）と話しました。酒の席のことゆえ、どこまで覚えて頂けているか分かりませんが、その後には、党派の垣根を越えた交流ができるようになっていきました。そして意外なことに、その翌年、彼は離党し、無所属で次の市議選挙をくぐることとなったのです。見事再選した彼は、現在、無所属ながら保守的志向で地域密着の議員として活動を続けているし、今では我々とも連携して活動しています。その行動のおかげによって、地域の政治的バランスに明らかな変化が生じているのです。今後、こうした確かな変化が、地域から日本中に広がっていくことを期待したいと思います。

その後、私は大府市議会議員を1期で終えて、２０１９年の統一地方選で愛知県議会議員選挙に挑戦し、初当選することができました。今度は県政にフィールドを変えて、まさに、現在奮闘中であります。地域に尽くして生きるという漠然とした子供の頃からの夢、それを実現するための原野が今、眼前に広がっています。幕末志士が残した数多くの言葉に準え、その想念に共感しつつ、我が人生の残りすべてを捧げて活動していく覚悟でいます。そのためにも、更なる仲間との出会いが必要なのです。志ある方々に誠意を持って伝えよう。貴方との出会いを待望しています。

天命に向かって生きる

宮崎市議会議員　斉藤（さいとう）　了介（りょうすけ）

〈政治への志〉

私は、高校に入学した頃から、父親が保証人として引き継いだ負債が原因で、両親の喧嘩が絶えない青春時代を過ごしてきました。それまで至って普通の家庭で不自由なく育てられてきた私にとりまして、生まれて初めて直面した苦難の時期でした。夜父親が仕事から帰ってくると、昼間に母親が対応した借金の取り立ての件で台所から両親が大喧嘩する声が毎日のように聞こえ、ある日学校から帰宅すると、家の中の家具に裁判所の差し押さえの赤札が貼られており、母親から「これからどうやって生活していったらいいのか分からない」と泣き付かれたあの日のことは私の記憶から消えることはありません。

そんな高校生活を送った私は大学受験にも失敗します。自宅を売却し、負債を返済したお金の残りで予備校の学費を出してもらい、家から逃げ出す思いで上京するのですが、暫くすると仕送りも遅れがちになり、ガソリンスタンドでアルバイトしながら自分の将来に不安を抱えていた19歳でした。今振り返ると、自分の力で壁を乗り越えようと努力をしなかった甘えた自分が恥ずかしく情けなく思います。そんな時父親から、地元で県議会議員をしていた伯父が市長選挙に立候補することになり、予備校をやめて宮崎に戻り選挙の手伝いをしろとの連絡が入ります。この時伯父の運転手として選挙に関わったことが私の人生の大きなターニングポイントとなりました。それまで大学に進学することだけで将来就きたい仕事を考えていなかった私にとって、生まれて初めて働く大人を間近に見たのが政治家という職業だったのです。有権者に対して自分の考えを訴え、共に社会を良くしていこうとする伯父や周りの大人たちが輝いて見え、私自身も将来政治家として宮崎の社会を良くしていきたいと決断したのが、20歳の時でした。選挙は落選に終わり、周りからは地元で国会議員の秘書をする方が政治家になる近道とのアドバイスを受けたのですが、宮崎を離れ民間企業で社会人としての基礎を作る方が良いと考え、地元企業の大阪支店で働く選択をしました。途中で大手銀行系列の不動産会社に転職し、金融や不動産に関する仕事ができたことや仲介という売主と買主の間に立って交渉をし、双方を合意させて商談をまとめるといった経験はその後の議員活動に大変役に立っていると思います。

また、あれだけ学生時代に先生や親から本を読むことを薦められても読まなかった私でしたが、政治家になるという目標が見つかったことで、目標を達成するために毎日通勤電車の中で政治や行政、自己啓発関連の本を読んできた体験から、「**人は目指すべき目標が見つかるとそれに向かって具体的に行動する**」ということも知りました。

27歳で結婚するのですが、その時も将来郷里に戻り、選挙に出ることを伝えたうえで妻と一緒になり、３人の子供にも恵まれ、37歳になる春に宮崎に帰郷することを決断します。21歳から16年間暮らした大阪でしたが、この地で沢山の仲間との出会いがありました。送別会をしてもらったお寿司屋さんの店先で、生まれて初めて胴上げをしてもらい、その際に友人たちから「自分たちは夢をあきらめたけど、これから夢に向かって挑戦するお前を大阪から応援している」と掛けてもらった言葉に「縁もゆかりもない大阪でこれだけの仲間ができたのだから、郷里の宮崎に帰れば親戚や同級生も沢山いるし、必ず政治家に成れる！」と仲間から力をもらったあの夜のことは、帰郷後の辛い時期の支えとなりました。

〈ミーハーなグループと思っていた龍馬プロジェクト〉

帰郷後は、子供が通う学校のＰＴＡ活動や自治会活動に関わりながら自分の考えを訴えて、３年後の２００７年の統一地方選挙で初当選を果たします。この3年間は途中無職の時期もあり、生活費のことでも両親に助けられました。

20年越しの目標を叶えた私ですが、１日も早く一人前の市議会議員になるために勉強する日々が2年ほど続いた頃に市長選挙への立候補の話が出てきました。伯父の市長選挙がきっかけで市議会議員になったところ、今度は自分に市長選挙の話がくるとは人生とは不思議なものです。最終的に立候補を決断したのですが、選挙はそんなに甘いものではありませんでした。しかし、この経験が視野を変え、46人いる議員の中の１人といった意識から自分が市長だったらどう考え、どう行動するかと俯瞰的に考えるようになり、運命的な「龍馬プロジェクト」との出会いもありました。市長選落選後、もう1度原点に返ろうと次期市議選に向けて活動していた時に、友人の勧めで熊本市で開催された集会に参加したのですが、**正直いうと坂本龍馬の名前を利用したミーハー的なグループ程度にしか思っていませんでした。**しかしそこにいた神谷宗幣会長をはじめ、年齢は私より若いながらも鉄の意志を持った本物の志士たちの存在に衝撃を受けました。**日本には自分が知らなかっただけで、同じように祖国や自分たちが住む地域を想う同志がいた**ことに勇気をもらい、龍馬プロジェクトのご縁で、「林英臣政経塾」で学ぶ機会もいただきました。私は政党に所属しておりませんが、龍馬プロジェクトを通じ全国に仲間ができたことで強固な後ろ盾を得ることができました。

〈我が街のことを我が事のように〉

私の政策の柱は一貫して「教育、人作り」であります。**学問も大切ですが、それ以上に大切なことは、人がこの世に生まれ何をもって社会に貢献していくか。**私がそうであったように、子供たち1人1人に与えられた天命が何なのか、早い段階で見つけられるよういわゆるキャリア教育を強化していく必要があります。そして政治家が持たなくてはならないのが、「子供にツケをまわさない」という考え方です。次世代に負担を残すことで我々の生活を維持していく無責任な財政運営を止めて、痛みは我々で受け、次世代には健全な財政にして社会のバトンを渡す。制度や仕組みも時代に合わなくなったものは改善して次世代に繋いでいく。このことを政治家が先頭に立って訴え、行動していくことでしか、若者が将来に夢や希望を抱いて頑張ってくれることはないのではないでしょうか。

宮崎の課題でありますが、宮崎県では他県よりも高い割合で、地元で生まれ育った若者の半数近くが県外に流出している状況です。今から30年も前の大前研一（おおまえけんいち）氏の本でも地方から都市部への若者の流出が書かれていましたが、当時は人口減少や少子高齢化が今ほど問題視されていませんでした。地方からこれ以上若者の流出を止めない限りこの国の未来はありません。働く場の確保については、これまで他所（よそ）から企業を誘致するという政策に力を注いできましたが、私は宮崎から起業家を誕生させていく教育が必要であると考えています。そのためにも起業家を目指す人材を早い段階で海外に派遣し、世界の潮流を勉強させることが重要です。

公共交通機関が脆弱であることも課題の1つです。宮崎県は昔から「陸の孤島」と呼ばれてきたように、新幹線は走っておらず在来線も未だ単線のままです。東九州自動車道も2016年に漸く北九州への区間は開通したものの、鹿児島区間は未だ全線開通しておりません。域内交通におきましてもマイカー依存の社会が確立されてしまい、公共交通の中心にあるバス会社も利用者数が伸びずに不採算路線を抱えた現状です。近年発生している高齢者ドライバーによる交通事故がきっかけとなり、運転免許証を返納する高齢者が増えていますが、日常の買い物や通院ができなくなるため利便性の高い移動手段を構築していくことが命題です。また、マイカー依存で問題なのが歩かない人が多いということです。都会であれば、当たり前のように駅までや駅から歩くことで無意識のうちに運動しているのですが、宮崎では5分の距離でも車に乗る人が多いため肥満や成人病の患者の割合が都会よりも高い現状です。公共交通機関の問題は健康にも繫がっているのです。

これらの課題を踏まえ、私はこれから宮崎の様々な分野で頑張っている仲間たちと一緒に、宮崎を日本の理想郷とするために残りの人生を捧げる覚悟です。以前林英臣先生より「**我が街のことを我が事のように考えられる覚悟が必要だ**」との言葉をいただきましたが、漸くそのように考える覚悟ができました。1人の力は小さくても、1人の想いに仲間の想いが重なり合い、人が繫がった時にどれだけ大きなことができるのか子供たちに伝えたいと思います。

私が日本というパズルの中で、宮崎という1つのピースをしっかり組んでいき、龍馬プロジェクトの同志1人1人がそれぞれのピースを立派に組み合わせ、日本のパズルが完成することで日本は理想的な国家になると信じています。その日が1日も早く来るように己の天命に向かって生きてまいります。

第3部　仲間との繋がりを生かして

龍馬プロジェクトから企業誘致に

熊本県議会議員　溝口（みぞぐち）　幸治（こうじ）

〈24年ぶりの企業進出協定〉

２０１９年11月27日人吉市が整備する、まち・ひと・しごと総合交流館「くまりば」で熊本県と人吉市は東京のＩＴ企業、株式会社ウェイビーと進出協定を締結しました。この「くまりば」では現在、サテライトオフィスを整備し入居を募っているところです。ウェイビーはその施設への入居、第１号となります。なんと人吉市での企業進出協定は24年ぶりとなります。

ウェイビーの伊藤社長と出会ってから約2年、私にとっても大変嬉しい出来事であり、早速、その日のうちに龍馬プロジェクト全国会　神谷宗幣会長にお礼のメッセージを送りました。「神谷会長にご縁をいただいたのが２０１７年。何とかここまできました。これからも市長と共に色々な取り組みを進めます。引き続きお世話になります」。神谷会長からは「上手く繋がって良かった。ご連絡ありがとうございます」と返事をいただきました。このご縁こそが、龍馬プロジェクト全国会に入会していたからこそ形になったのだと改めて感じた出来事でした。

〈自分達の街は自分達で創っていく覚悟が大切〉

私の龍馬プロジェクト全国会との出会いは、今から約10年前、九州内の同志の議員が私を誘ってくれたことがきっかけでした。神谷会長や当時浪人中だった鈴木英敬氏（現三重県知事）を始めとする龍馬プロジェクト全国会の仲間の「この国を良くしたい」「地域を良くしたい」「政治を良くしたい」との思いに触れた時に、私に入会をお断りする選択肢はありませんでした。それが私と龍馬プロジェクトとの出会いでした。

私は1999年、28歳の時に市議会議員に挑戦し、多くの仲間の支えと市民の皆様の期待のお陰で、人吉市政ではその当時、史上最多得票で当選させていただきました。なぜ、当選できたのか？　それは若さと私を応援する方々の熱意や、お祭りに似た盛り上がりがあったからだと思います。私は高校卒業後に人吉商工会議所に入所しました。その中で、商工業者、とりわけ小規模事業者の経営改善を図る活動や商店街を始め、異業種交流会や青年部などの各団体のサポート活動を通じて、経営していくこと、事業を継承していくことの難しさや、地域活性化のために奉仕することの大切さなど、多くのことを学ぶ機会をいただきました。そこで感じたのは「**批判をしたり誰かのせいにしても先には進まない！**」「**自分達の街は自分達で創っていく覚悟が大切**」ということでした。

そのような流れの中から、仲間と共に市議会議員や県議会議員、市長を若手から出そうと盛り上がり、最終的に私が挑戦することになり選挙戦に臨み勝ち抜くことができました。つまり、私に初めから高い志があった訳ではなく、市議会議員になる明確な目標があった訳でもありません。流れの中で決断し行動したまでです。その後は無我夢中で活動をはじめ、人吉市議会議員を1期務め、2003年には熊本県議会議員に当選。2019年の選挙で5期目の当選を果たすことができました。

〈国民の信頼を取り戻す〉

私が龍馬プロジェクトに出会ったのは、ちょうど政権交代が起こった頃です。私は熊本県議会議員当選以来、自由民主党に所属し活動してきました。特に自民党員45歳以下で組織する自民党青年局に所属し、熊本県連の青年局長を務め、全国の地方組織の取りまとめ役である中央常任委員会副議長に就任した頃だったと思います。当時の自民党が下野した理由の1つに世代交代ができなかったことが挙げられると思います。若い人材が、自民党に入れずに他党から出馬したり、保守系無所属で活動している、あるいは自民党に魅力がなくなり活動の基盤がない地域があったように思います。そのような方々の受け皿となったのが龍馬プロジェクトでした。

私はもう1度、自民党を立て直し、国民の信頼を取り戻すために必要なことは何かを考え、青年局の仲間と切磋琢磨しながら活動していました。そのような中で出会った龍馬プロジェクトの当時のメンバーは、同じ方向に向かって活動できると感じていました。そこで私が自民党青年局中央常任委員会議長に就任してから、青年局の勉強会等に龍馬プロジェクトのメンバーを誘ったりしたこともありました。そんなご縁もあり神谷会長が自民党から衆議院議員に挑戦する流れもできたのかと考えています。

〈龍馬プロジェクト企画「ふるさと起業カンファレンス」〉

話を元に戻しますが、ウェイビーの伊藤社長とは約2年前に神谷会長の紹介で初めてお会いしました。「とても行動力のある若手のＩＴ企業家が熊本にいくので対応してほしい」と神谷会長から依頼がありました。早速、熊本県庁で伊藤社長ご一行をお迎えし、熊本県の企業誘致や起業家支援など商工観光全般にわたって説明をさせていただき、私の同級生で信頼する熊本のＩＴ企業家である富山孝治（とみやまこうじ）氏（株式会社システムフォレスト社長）も紹介させていただきました。

それからしばらくすると、今度は神谷会長から龍馬プロジェクトとウェイビーが共催する「ふるさと起業カンファレンス」というイベントを熊本でやりたいとの打診がありました。私から県庁所在地の熊本市ではなくて、私が生まれ育った人吉球磨地域で開催することを提案し、了承を得て開催しました。

その時の基調講演はウェイビーの伊藤社長。パネルディスカッションでは、人吉市長の松岡隼人（まつおかはやと）氏、システムフォレストの富山孝治氏、当時の東京から熊本県球磨郡五木村にＵターンを目指していた土屋望生（つちやのぞみ）氏（現在は五木村で株式会社日添（にってん）創業）、龍馬プロジェクト会長の神谷宗幣氏、地元金融機関の方がパネラーに、そしてモデレーターを私が務めました。お陰様でイベントも大成功に終わり、パネラー同士の信頼関係も芽生え、さらに伊藤社長と人吉市との関係も深まりました。そのような関係を継続しているうちに人吉市が地方創生の取り組みの１つとして、コワーキングスペース、サテライトオフィス等を整備してＩＴ企業を誘致する方針を打ち出しました。

〈地域での具体的な取り組み〉

ここで人吉市の取り組みについて説明しておきます。

現在、人吉市では、旧国民宿舎「くまがわ荘」をリノベーションし、人吉市まち・ひと・しごと総合交流館「くまりば」を整備しています。この「くまりば」の施設内には、源泉かけ流しの温泉があり、日本遺産に認定された、人吉球磨地域の文化・歴史を紹介する「日本遺産エントランスセンター」（建築家の隈研吾（くまけんご）氏が監修）、地域の中小企業や個人事業者を支援する「人吉しごとサポートセンター（Ｈｉｔ－Ｂｉｚ（ヒットビズ））」、新しい働き方の場所としてアウトドアブランド「Snow Peak」のギアを取り入れた、コワーキングスペース「Osoto Hitoyoshi」がオープンしています。

「くまりば」の整備は、国、熊本県、人吉市、民間事業者、地域住民が一体となって、取り組みを進めており、特に、システムフォレストの富山社長、ウェイビーの伊藤社長は、それぞれ、人吉市と包括連携協定を締結され、「くまりば」の整備に関するアドバイスやサテライトオフィスの誘致について協力していただいています。そして、２０１９年４月、その２人が理事を務める一般社団法人ドットリバーが設立され、地方創生事業をスタート。行政にはないスピード感でコワーキングスペース「Osoto Hitoyoshi」の運営を行っています。

この「Osoto Hitoyoshi」は、２０１９年度グッドデザイン賞を受賞した株式会社スノーピークビジネスソリューションズの「CAMPING OFFICE」と連携したこともあり、ＴＶ局や新聞社など各種メディアに大きく取り上げられています。また、事業としては、東京など都市部からＩＴ企業や起業家を呼び込み、地域課題を解決するためのアイデアソン・ハッカソンの開催や、事業承継問題を抱える地域の企業をマッチングする、スモールＭ＆Ａ事業、起業家合宿を行うなど、興味人口・関係人口の増加にも取り組んでいただいています。

「人吉しごとサポートセンター」については、全国からセンター長を公募した結果、松山真一氏が就任し、中小企業の皆さんからの信頼も厚く、月平均70件の相談を受け、売上アップのアドバイスや集客のためのＩＴ活用相談など、様々な支援をされています。

このような取り組みの中で、今年度中には、「くまりば」２階部分に、シェアオフィス、サテライトオフィスが整備されます。その記念すべき第1号に、龍馬プロジェクトのご縁でつながった、ウェイビーが入居されることになり、これほど嬉しいことはありません。

〈地域の仲間と共に〉

人吉市には、龍馬プロジェクトのメンバーが3人います。私と人吉市長の松岡隼人氏、そして市議会議員の宮原将志氏です。

熊本県と鹿児島県、そして宮崎県との県境に位置する人吉市に住む我々は、これからも**龍馬プロジェクトで培ったネットワークを始め様々な繋がりを活用しながら地域の活性化に取り組んでいかなけ**

ればなりません。先行き不透明な厳しい時代ですが、龍馬プロジェクトのメンバーと共に日本を良くするために、生まれ育った地域を良くするために、これからも活動を続けてまいります。

できない理由が言えなくなる

石川県議会議員　不破（ふわ） 大仁（ひろひと）

〈議員として感じていた無力感〉

２００７年４月に金沢市議会議員に初当選して以来、龍馬プロジェクトや自民党青年局の活動を通じて全国各地に多くの仲間との繋がりを作ることができました。それらの繋がりを持てたことは今の自分にとってかけがえのない財産だと思っています。私自身もまだまだ発展途上の身ではありますが、若手政治家の皆さんやこれからの未来を担う学生など、若者の活動に少しでも役立てばと思い、自らの歴史を振り返りながらお伝えしたいと思います。

選挙前年の夏頃から私は政治活動を本格化させ、地元の挨拶回り等を地道に行っていました。私はいわゆる2世議員であり、初当選はそのおかげだったことは否定しません。当時、私自身への風当たりはそれほど厳しいものではありませんでしたが、挨拶回りをしていると「自民党から出るのは辞めたらどうか」、「あなたの応援はするけど、自民党は嫌」などと露骨に言われることもしばしばあり、自民党に対する風当たりが強くなっていることを肌で感じていました。

統一地方選挙が終わるとすぐに参議院議員選挙モードに突入しました。保守王国と言われる我が石川県では、当初自民党の楽勝ムードが漂っていましたが、半年にわたる自身の活動経験から「敗北」の文字が私の頭を離れませんでした。私は危機感から自分の選挙に負けないくらい懸命に戦いましたが、悪い予感が的中して残念な結果となってしまいました。また我が県のみならず、全国各地で自民党が苦杯をなめていました。これは、大臣の辞任ドミノや消えた年金など、連日の報道に国民が辟易した結果だったと思います。

参院選の後、**若者の政治離れや政治不信を何とか解消しなければ日本の将来が危うい**と思い、同世代の若者を集めた「模擬議会」というイベントを開催しました。模擬議会は金沢のまち作りに物申したい人に模擬議員になって質問してもらい、私が模擬市長として質問に答えるもので、普段触れることのない議会でのやり取りを知ることで興味をもってもらおうというイベントでした。複数回開催し、参加者の受けは悪くありませんでしたが、1回当たりの参加者は20～30名ほどで、一過性で終わり、広がりを見せることはありませんでした。その間も国政では相変わらず政治不信を振りまき続けていました。今思えばまだまだ**メディアにコントロールされていた時代**だったとも考えられますが、当時の世間のムードはかなり厳しいものであり、自分自身の活動が「砂漠に水を撒いて花を咲かそうとしている」かの様な虚しいものに思え、何とも言えない無力感に包まれていました。

その後も大きな流れは変わらず、２００９年8月にとうとう政権交代することになりました。民主党政権については今更語ることはしませんが、日本の危機をより強く感じることが続いていました。

〈刺激的な出会いと挑戦〉

危機感ばかりが募る中、2010年4月に神谷宗幣会長をはじめとする龍馬プロジェクトのメンバーが金沢市を訪れ、初めて彼らと会うことになりました。お迎えした我々は自民党系4人、民主党系5人の超党派の若手市議団でした。同僚議員から声を掛けられて参加した私はどんな会合なのかよく分かっておらず、また誘ってくれた同僚議員も中身はよく分からないとのことでしたが、これが運命を変えるものでした。

会の中で神谷会長は「自民党がダメで民主党政権になったが、民主党がもっとダメなのは明らかです。これからの日本を支えるには国会議員だけに任せてはいられません。全国を回って次に備えて行動できる仲間を集めます」と述べ、その挨拶には日本の将来を憂い、何とかしなければという想いが溢れていました。当時の神谷会長は私と同じ市議会議員でしたから、全国各地を回るのは時間的にも資金的にも一筋縄ではいかないことは容易に理解でき、驚くほかありませんでした。**当時、自分の政治活動に無力感を覚えていた私にとって、この出会いは大きな刺激とやる気を起こさせるものであり、数名と共に龍馬プロジェクトへの参加を決めることになりました。**

翌月の龍馬プロジェクトの総会では鈴木英敬氏（現三重県知事）にもお会いし、そのオーラに圧倒されたことも印象深く刻み込まれています。また他にも会う人会う人、意見交換するたびに「チャンスがあれば、より影響力を及ぼせるポジションを目指す」といった意欲的な仲間が多くいることにも驚かされました。これらのことがあり、半年後の金沢市長選挙を戦うことに繋がっていきます。

２０１０年11月の金沢市長選挙は6選を目指す現職に異を唱え、新人を擁立した選挙戦でした。激しいプレッシャーに何度も押しつぶされそうになりながらも、龍馬プロジェクトの仲間の励ましを貰いながら、少数の若手で担いだ新人候補が僅差で勝利を手にしました。またその半年後の統一地方選挙では私も石川県議会議員選挙に挑戦し、勝利を収めることができました。

すべては仲間との出会いがなければ成り得なかった歴史であり、交流したことの意義はとても大きいものがありました。その後、龍馬プロジェクトの副会長であり自民党青年局の中央常任委員会議長も務められた溝口幸治熊本県議会議員を目標に、龍馬プロジェクトでの活動だけでなく自民党青年局での活動も積極的に行いながら全国の仲間作りを進め、私も溝口議員と同じ役職を務めるに至りました。

〈交流の意義と課題〉

かつての自戒も込めて言いますが、**地方議員は地元に引きこもりがちです。理由は2つで、1つ目は時間的・資金的な余裕がないと決めつけていること、2つ目は地元以外の活動は選挙にプラスにならないと考えていることです。**地方議員は忙しいかと聞かれれば、個人差はあるにせよ、確かに忙しいと思います。私の場合、公務に党務、陳情や要望への対応、地元や関係団体の行事、後援会活動など、時間的余裕は見つけにくいと言えます。しかし、時間は作るものという考え方もあり、常にスケジュールを睨みながらやりくりすればなんとかできるものです。また、資金面も自治体による差はありますが、議員報酬や政務活動費だけでは決して楽ではないと言えます。私の場合、活動の情報発信に努める傍ら、献金を募って次なる活動の原資にさせていただいています。自らの努力はもちろんのこと、支援者の協力なども必要ですが、1つ目に挙げたできない理由はなんとか克服できます。

問題は2つ目の理由です。政治家は選挙に落ちればただの人と言われますし、誰もが落選はしたくはありません。ですが、その思いが先に立ちすぎると選挙のための活動ばかりになり、これを続けると選挙だけが上手な政治家になりかねません。これは本人の意識が変わらなければどうにもならない側面もありますが、そもそも選挙に敏感なので有権者からの声によって変わる可能性もあります。自らでも他者によってでも構いませんが、ぜひ意識を変えて欲しいと思います。

全国の仲間と交流すると思いがけない気づきが得られることがあります。1つは、**他の地域の課題を聞くことで地元の潜在課題に気づけること**です。既に地元の課題だと認識するものは行政視察やインターネット等で情報を集め得ますが、潜在課題はそもそも気がついていないため、情報収集すらできていません。地元にだけいては見えてこないものです。例えば、過疎進行地域の空き家対策などの課題は、これから人口減少を迎える地域にとっても備えておくべきものです。オーバーツーリズムの入場規制などの政策は、より多くの観光客を招きたい地域でも考えておいていいものと言えます。

もう1つは、**自らの政治家としてのあり方を考える機会が得られること**です。龍馬プロジェクトには「国是十則」という指針があります。これはメンバーがかなりの時間をかけて作り上げたものですが、仲間とのベクトル合わせをする中で自分のこだわりや足らざる点を知ることに繋がりました。自らの政治家としての軸となるものを明文化できたことは大きな出来事だったと言えます。

〈全国ネットワークがもたらすもの〉

共に行動できる仲間がいれば、全国一斉に議会質問や意見書提出で同じ問題を取り上げるということもできます。例えば過去に自民党青年局で、学校のＩＣＴ化をテーマに全国一斉の議会質問をしたことがあります。龍馬プロジェクトでも子宮頸がんワクチンの副反応問題について取り上げたこともありました。

行政視察の際に、仲間と時間を合わせて懇親できる良さもあります。地元の情報を聞けるのはもちろんですが、昼間に見聞きした視察先の話について、実は上手くいってないなどの裏話を聞けたこともありました。仲間との懇親が無ければ知り得なかった情報です。逆に金沢市に視察に来た仲間と懇親すれば、どこに着目して我が街に来たのか、我が街がどう見られているのかも知ることができます。

仲間作りや交流はただ待っていても成し得ません。行動あるのみです。もちろん、いろいろと負荷はかかりますが、恐れずに突き進めばよりパワーアップできることは間違いありません。この拙文がまだ見ぬ仲間との出会いに繋がることを信じて筆を擱きたいと思います。

海外を視察して見えた地方の役割

福井県議会議員　長田（ながた）　光広（みつひろ）

〈人との出会いで再燃した志〉

中学生の頃に、偉人伝や有名な小説などと共に好んで読んだものの1つが第２次世界大戦時の軍人の生き様や、国を護るため命を懸けて戦った立派な方々の物語でした。当時は学校図書にそういった書籍も沢山あったように記憶しています。プラモデルも戦艦大和や零戦などを作っていたものです。修学旅行で訪れた広島平和記念資料館では、戦争下とは言え本来護るべき市民が巻き込まれ一瞬で殺戮されたあまりの惨状に、悔しく悲しく涙したことを覚えています。また福井にも焼夷弾空襲があり町が焼失し大勢が亡くなった様をよく聞かせていただきました。幼心に島国日本は優れた軍備や技術があろうとも資源確保がままならなければ外交で追い詰められ、国土を荒廃させ民が悲しむことになるのだと漠然と危機感を持ちました。そんなこともあり当時親しい友人に「日本を世界に負けない立派な国にせねばならない」という想いを伝えたことを覚えています。そのために国を富ませる政治家になると豪語しつつも、年を重ねるにつれその志も薄まり、学校を出た後は家業を継ぎました。

商いを通じてあらゆる業種の方とお話しする機会がありましたが、「どれだけ頑張っても儲からない、まじめにやるほど損が増える」といった声をたくさん伺いました。私はタイヤ販売を生業にしています。徹底的なサービスで顧客利便性を高め、サービスを付加価値にして更に儲かるようにせねばと血のにじむような努力をするも、不況にあえぐ取引先は人件費や車両購入費等は無理でも、消耗品経費は削らざるを得ません。手間をかけいくら取引先コストを省くサービスを提供しても、つまるところ他社はいくらだから負けてくれと言われる始末です。不況下でも伸びる企業は多々ありますので、儲からない以上、経営者として二流、いや三流であることは自覚しています。交付税頼みの公共工事などに依存する地域経済の危うさを実感すると共に、**なぜ頑張るみなさんが豊かになれないのか、政治経済についても考えるようになりました。**

そんな折、龍馬プロジェクト神谷宗幣会長と初めてお会いしました。2009年に衆議院議員稲田朋美先生を応援する青年隊メンバーにて伺った議員会館にて、松下政経塾1期生の林英臣先生の政経塾への勧誘プレゼンを受けたのです。国是・国体を熱く語る神谷さんの熱意に絆(ほだ)され、林英臣政経塾への入塾を決めました。そこで学び龍馬プロジェクトに加入し、2012年には櫻井(さくらい)よしこさん塾頭の日本青年会議所グローバルリーダー育成塾1期生として学び、ここに政への立志を改め、いつものように神社や橋本左内(はしもとさない)先生の墓前で誓い、地元保守系県議後継として2014年に初当選させていただき現在2期目を走らせていただいています。

〈先人の思いや仲間とのビジョンをよりどころに〉

みなさんの郷土にも偉大な先人がいらっしゃるでしょう。私の生まれ育った福井にも継体(けいたい)天皇をはじめ尊敬する先人が大勢おられます。特に幕末明治期の越前藩主松平春嶽(まつだいらしゅんがく)侯と、その側近橋本左内先生、またその同志の横井小楠・由利公正(ゆりきみまさ)らは、私にとって特別な存在です。幕末に春嶽侯は尊皇を基調に左右でなく真ん中を貫くことを訴え、左内先生は更に海外との同盟関係も重視しつつ、内乱状態で国力が削がれ侵略されることとなきよう幕府を中心とした雄藩連合の政を、安政の大獄で命落とすその日まで貫きました。その思いを継ぐ横井小楠や由利公正両氏が、五箇条の御誓文の起草をなされ、政のあるべき真を示してくださいました。五箇条の御誓文の理念が、今の時代にも再び必要だと思うのは私だけではないでしょう。

龍馬プロジェクトにも『国是十則』という、日本再興のためのビジョンがあります。これは同時に、行動指針であり、志であり、魂でもあり、私は現代版の五箇条の御誓文だと思っています。私はこれらの指針を意識し、心を無にして、姿は見えなくとも、時には左内先生に、また時には同志のどなたかに、常に語りかけながら自問自答することを心掛けています。人は弱いものですから、先人の思いや構想、仲間と作ったビジョンをよりどころとすることで、弱い自分に負けずに行動していけているように思います。

〈無知や先入観がいかにいい加減で恐ろしいものか〉

このように私の行動の軸の1つとなっている龍馬プロジェクトの神谷会長は、数々の海外視察を企画されており、2019年は私もルワンダに同行させていただきました。「アフリカのルワンダ」と聞けば、砂漠があって、大虐殺をするような野蛮な人がいる国、というイメージがないでしょうか。

実は私はそんな印象を持っていました。しかし実際のルワンダは、四国より小さく見渡す限りの丘に、豊かに実るバナナやイモの緑と、赤土のコントラストで構成される国土に、人口1200万人以上が住んでいる国です。さらにアフリカ54ヶ国中、経済成長率は首位。世界全体でも成長率はここ20年間ずっとトップテンに入っているといいます。首都キガリはゴミ1つ落ちていない清潔な街で、アフリカでもっとも治安が良いと言われ、夜間の1人歩きでも全く怖さを感じることはありませんでした。**無知や先入観がいかにいい加減で恐ろしいものかということを、現地に行って痛切に感じることができました。**

また、首都から2時間ほど離れた農村の学校に伺った際に、校長先生に教育指針を質問すると「**先ず国の問題を解決し活躍する人に育ってほしい。次に家族を守る人になってほしい。そして世界にも貢献できる人になってもらいたい。**」という答えがすぐに返ってきました。子供達に将来の夢を尋ねると「**人の命を守りたいから医者になりたい。国民を守りたいから警察官に。国を護りたいから軍人に。貧困から皆を守りたいから経営者に……**」等と眼をキラキラさせ答えてくれました。野蛮どころか、我が国の現状と比べても見習うことがあると感じたのです。経済成長率は高くても、まだまだ発展途上の貧しいルワンダの子供達が、世の為、人の為に役に立てる生き方を志して明日への希望に満ち溢れている。これは学校だけでなくルワンダ全体から感じ取れることでした。**日本の教育をはじめ社会全体の在り方を改めて考えさせられると同時に、物事を見極める時の対比と、実際に現地に行き肌で感じ取ることの重要さを改めて認識させていただきました。**

〈地方議員こそ世界を見よう〉

さらにルワンダでは大使館の方々とお話しする機会も頂き、日本の外交や海外支援の基本姿勢に感銘や希望を感じた反面、ルワンダとの対比で日本の人口減少や経済の停滞、そして何より教育の在り方に強い危機感を持ちました。せっかく我が国には資金も技術力もあるのに十分に活かせていないと痛感しました。こんな言い方をすると失礼かもしれませんが、ルワンダの規模の国とであれば、福井県のレベルでも十分に支援や連携事業が可能です。しかし、今までの私を含めて、そんな発想で海外に出ていくチャレンジ精神をもった人材がいなかったことに反省の念を持ちました。国を富ませることはなにも国会議員だけの仕事ではありません。かつて徳を以て優れた治水灌漑事業などの政を貫いた様そのものが正に国〝体〟を〝継〟ぐ者、継体天皇と成った様に、故郷を守り発展させることはその集合体である国を富ませることに他なりません。国是十則にもありますが、国土強靭化と地方活性がセットである様に、国と地方は両輪であり同体です。ＧＨＱによるＷＧＩＰ（ウォー・ギルト・インフォメーション・プログラム）によって、影響が今なお残る事柄も、地方からどんどん変えていかねばと痛切に感じた視察でした。

地方の政治家は、手塩にかけ志高く立派に育った子供達を、都市部に献上している様な状態を打破せねばならないと感じています。そのためには、地域の経営者であるべき政治家が地域に閉じこもっているのではなく、広く世界を見て、世界に通用する地域の強みとその地方ならではの魅力に磨きをかけ、郷土に誇りを持って頑張る人や世界と対峙できる環境を作り上げることが不可欠だと、今回の視察で骨身にしみました。

実は福井県では未来を見据えて航空宇宙産業へのアプローチをはじめています。超小型宇宙衛星生産もその1つで、ルワンダ政府からの発注が県内企業生産第1号です。そうしたご縁もあって今回はルワンダに行きました。ルワンダでは多くの繋がりも頂いたので、この縁を大切に我が県ならではの成長戦略を構築したいと考えています。

こうした機会と気づきを与えてもらえたのも、龍馬プロジェクトの「未来と世界」を見た活動のおかげだと思います。これからも多くのご縁を頂きつつ、そこで得たものを我が地域の発展に繋げることで、龍馬プロジェクトへの恩返しにしたいと思っています。

皇居勤労奉仕団を実現して

和歌山市議会議員　中谷（なかたに） 謙二（けんじ）

〈天皇陛下と私〉

幼少期の頃、私は昭和がずっと続くと思っていました。振り返ってみると幼かったので無知なのは当たり前のことですが、元号とは何か、明治の改元から一世一元となっていること、なぜ日本には元号と西暦があるのか、皇紀という日本独自の紀年法など、どれも知る由もない状態でした。元号を学べば、日本の歴史、天皇、皇室のことがわかりますが、幼少期にそんな知識を身につけているとなれば、今の日本では異質な存在と見られるのでしょう。

なぜ日本人なのに日本のことを何も知らないのか。それは学校教育は勿論のこと、親をはじめとする大人たちが誰も教えてはくれないからで、知らなくても生活に困ることはないのです。しかし、本当にこれでいいのでしょうか。

幼い頃の私は、日曜日に早起きした際には民放で放送されている皇室情報番組にチャンネルを合わせ拝見しておりました。私の父方の実家に皇室の写真が飾られていたことが、少なからず影響したのかも知れませんが、なぜチャンネルを合わせていたのかは未だにわかりません。そんな幼少期の私は、天皇陛下の映像を拝見し、雲の上のとても遠い存在だと感じておりながらも、いつの日か天皇陛下のお姿に触れたい、一度でいいからお会いしたいという想いももっていたのです。しかし、そんな想いも成長し、生活に追われる中で薄れていってしまいました。

高校を卒業し近畿日本鉄道株式会社へ就職した私は、駅係員として日々働いていました。そんな中、神武天皇山陵において陛下が即位にともなう親謁の儀に臨まれるために、近鉄電車をご利用いただき、橿原までお出ましになられることになりました。天皇皇后両陛下が、ご乗車されます「お召列車」が何事もなく目的地まで無事運行できるよう、私たち社員は各踏切に、踏切警戒員として配置されたのです。私が担当する踏切の通過時刻が迫ってくると、幼少期の想いが沸々と込み上げ、一目でいいから天皇皇后両陛下のお姿を拝見したいと、居ても立ってても居られなくなったのですが、通過するお召列車を踏切からお見送りするだけで、その想いは叶いませんでした。

このことがあった後、天皇皇后両陛下、皇室、そして日本のことをもっともっと知りたいと書籍を読み漁り、春秋叙勲、園遊会、歌会始などに選ばれることによって天皇陛下にお会いできることを知ったのです。しかし、現実的にそれらに参加するのは自分には厳しいので、一般参賀が良いかと考えていたところ、皇居勤労奉仕に参加すると天皇皇后両陛下のご会釈を賜れるということを知りました。

〈皇居勤労奉仕への想い〉

皇居勤労奉仕について少し説明します。1945年の空襲でお濠と森に隔てられた皇居は外からは一見、以前と変わらぬようには見えたものの1歩中に入れば木造建築物は焼失し礎石や玉石、煉瓦などが至る所に散乱し誠に酷い有様でした。管理の統制を欠いた二重橋前広場の照明塔も破壊され荒れ放題で、この焼け跡を整理するために同年12月に宮城県栗原郡の有志約60名が勤労奉仕を申し込んだことが、国民が参加できる皇居勤労奉仕の始まりです。敗戦からわずか4か月、全国民は今日明日の食べ物が最大の関心事でした。自分たちが生きて行けるのかさえ分からない状況で、当時の交通事情では上京するだけでも大変なこと、さらに占領期に皇居で奉仕活動をすることに対して、GHQがどう対応するかもわからず、参加した人の中には両親兄弟と水盃（みずさかずき）を交わしてきた人もいたそうです。まさに決死の覚悟であったことが偲ばれます。

宮城の奉仕団は、宮内庁の方に迷惑をかけるようなことのないように、食料や燃料は持参し、皇居近辺には宿泊所もなく約20㎞も離れた小金井辺りで寝泊まりをして、朝から夕方まで手弁当で奉仕を行いました。そのことが天皇皇后両陛下のお耳にも入っており、ぜひ会いたいとのことで奉仕団の前にお出ましになられました。天皇陛下は奉仕団への感謝、郷里の現状と困りごとを聞くなど、お言葉をかけられました。

そして陛下のお帰りの際に、突如、奉仕団から沸き起こったのが国歌「君が代」の斉唱でした。当時はGHQの取り締まりが厳しく、国旗の掲揚も禁止され、国歌を歌うことがタブーのように思われて誰もが口にすることを控えていたのです。奉仕団は君が代を斉唱してお見送りしようと思ったのですが、天皇陛下は歩みを止められじっと聴き入っておいでした。奉仕団はお帰りの邪魔になっては申し訳ない、早く歌い終わらねばとの焦りと万感胸に迫り感激で滂沱（ぼうだ）の涙と嗚咽まじりになってしまいました。辛うじて歌い終わった時、天皇陛下は小さくうなずかれ、再び歩を進められお帰りになられたのでした。

この時、天皇陛下は大変お喜びになられましてこの歌を詠まれました。

戦に　やぶれしあとの　いまもなほ　民のよりきて　ここに草とる

奉仕団の帰りの旅は上京の時とは正反対で明るい歓喜と達成感に満ちたもので、戦争に敗れたとはいえ天皇陛下を崇敬する純真無垢な日本人の心に変わりはなく、奉仕団の行動の報が各地に伝わると、全国から勤労奉仕の嘆願が殺到しました。そして今日まで有志による奉仕が続いており、延べ120万人を超える方が参加されているそうです。

現在の皇居勤労奉仕は、連続する平日の4日間、皇居と赤坂御用地で、除草、清掃、庭園作業、季節に応じた力作業や行事に必要な準備作業などを行っています。参加資格は満15歳から満75歳までの健康に責任をもてる方々で、1団体15人以上60人以内で日頃から親交のある方々や、恒常的に一緒に活動している方々で構成をしなくてはならないとされています。

私としては奉仕をした上で天皇皇后両陛下のお姿に触れられるというのは、この上ない喜びであり、皇居勤労奉仕こそが私の考え得る天皇皇后両陛下にお会いできる理想の形だと肚に落ち、幼少の頃の淡い想いではなく、いつの日か必ず皇居勤労奉仕に参加させて頂きたいという熱く強い想いをもっていました。

〈龍馬プロジェクト勤労奉仕団を実現させる〉

月日が流れ、政治家を志した私は龍馬プロジェクトに一般会員として入会しました。研修などで様々な学びをもらい、政治家メンバーの活動に携わったりして、切磋琢磨の中で選挙に当選し、地方議員として活動させていただくこととなりました。龍馬プロジェクトの中で、関西ブロック長を仰せつかった私は、「龍馬プロジェクト勤労奉仕団」として龍馬プロジェクトメンバーで皇居勤労奉仕に参加をさせていただく事業を提案し、2017年から19年までの3年間、3年連続で開催を実現することができました。

皇居勤労奉仕の4日間は、朝8時に集合し、夕方4時頃まで作業を行います。各団体には日ごとに担当職員さんが付いてくださり清掃の指導に当たってくださいます。清掃場所や移動経路は、一般の方がほとんど入れない場所ばかりで、例えば聖域中の聖域の宮中三殿、お田植えされます田などで、清掃の合間には「こちらは……」とその場所の案内を職員さんから聞かせてもらえます。そして何と言っても皇居勤労奉仕では、長年の願望が遂げられる天皇皇后両陛下、皇太子殿下からのご会釈の機会がいただけるのです。

ご会釈の際、天皇陛下からは、各団体の団長にご下問が行われます。２０１７年の龍馬プロジェクト勤労奉仕団には、福島の被災地から参加したメンバーがおり、陛下はそのメンバーに直接、東日本大震災の被害についてご下問なされたのです。異例の天皇陛下からのお言葉に驚くと同時に、私たち国民にお心を寄せてくださる両陛下のお姿を目の当たりにした感動で、多くの参加者から涙が溢れていたことを今でも鮮明に覚えています。

ご会釈の最後には、天皇陛下から「お元気でお過ごしください」、皇后陛下からは「ありがとう」の慈しみ溢れるお言葉を賜りました。言葉の力で幸せをもたらし、その人の人生をも変えるのが言霊です。天皇皇后両陛下のお言葉にその言霊を感じ、政治家として言葉の大切さを心に刻ませていただく経験でした。

〈みんなで日本の形を考えよう〉

日本は古来、天皇陛下・皇室に対する国民共通の敬愛の念と、天皇陛下から国民への思いやりという形で絆が結ばれており、天皇陛下の存在は日本の軸を作り、秩序を成立させてきました。そうした意味でも日本は君民一体国家なのです。世界が動乱期に突入した今だからこそ、揺らぐことのない国作りのために日本人として皇室の存在を考え、天皇陛下をいただいていることを誇りに思い、国民1人1人が国家観を語り、それぞれの役目を真摯（しんし）に果たしていかなければならないと、多くの気づきをいただけた皇居勤労奉仕でした。

こうした経験ができたのも「国是十則」というビジョンをもって、皇室を中心にまとまった日本を作り、世界の平和に貢献していこうという龍馬プロジェクトというチームがあったからだと考えています。これからもプロジェクトを通して、日本をどんな国にしたいのか、自分は国に対して何ができるかを本気で考える機会を作っていきたいですし、皆さんにも皇居勤労奉仕を通して同じテーマを考えてもらいたいと心から願っています。

第４部　逆境を乗り越えて

「逮捕」や「裁判」で痛感した日本の課題

前美濃加茂市長　藤井浩人(ふじいひろと)

〈政治家になった経緯と逮捕事件の背景〉

２０１０年10月から美濃加茂市議会議員、２０１３年６月から２０１７年12月まで美濃加茂市長を務めました。龍馬プロジェクトには、市議会議員当選後、神谷会長をはじめとした本気で世の中を変えようとしているメンバーの皆さんと共に活動したいと強く思い、入会を決意しました。現在は執行猶予３年間の真っ只中で、その期間中は公民権停止のため選挙権、被選挙権がない状態となっています（２０２０年12月26日に３年間を終える予定です）。そんな私に今回、お声かけいただきました会長の懐の深さに感謝すると共に、様々な機会をきっかけに今回の本を手に取られている志ある読者の皆さんのお役に立てないかと筆をとりました。

龍馬プロジェクトには、志が高く、実行力のあるリーダーや政治家がたくさんいます。そんな先輩や好敵手と意見し合えるようなビジョン、市長時代の実績を記したい気持ちもありますが、今回は一般的には稀有な経験である逮捕事件のエピソードと、そこから私が見た日本の課題について、記していきたいと思います。

ご存知ない人のために、私が市長2年目のある日、突然逮捕された事件についてざっと説明いたします。

①２０１４年６月24日　逮捕、その後の起訴

事前の警察からの接触や捜査はなく、突然の逮捕。勾留期間は62日。

接見禁止により弁護士以外の人とは面会も許されなかった。

②２０１５年３月　名古屋地方裁判所　１審無罪判決

99・９％有罪と言われる刑事裁判。法廷では証拠整理や証人尋問が何度も行われ、判決では贈賄者の主張に信用性がないとし、無罪判決。

③２０１６年11月　名古屋高等裁判所　２審逆転有罪判決

新たな証拠もない中で１審判決から一転、贈賄者の証言が信用でき、私の１審での証言は信用できないとされ、有罪判決。信用できないという私に証言機会は与えられませんでした。逆転有罪判決後、出直し選挙を行い再選。その後、任期満了による選挙は無投票で３選。

④２０１７年12月　最高裁判所上告棄却　有罪判決確定

判決確定による自動失職を前に辞職。

懲役１年６月、執行猶予３年。追徴金30万円。

まず、私が政治家になった経緯と逮捕事件の背景を端的に記します。私は、父親が警察官、母親はパートの核家族というありふれた家庭で生まれ育ちました。夢や大きな目標がない学生時代に、思い立ってはじめたバックパッカーの経験が原点となり、教育に対する思いを持ち、学習塾に勤めることにしました。塾では、受験や学習指導要領に向き合い、悩み、苦しみ、時には潰れていく子供たちや、その現実に戸惑う家族と接する中で、政治でしか変えられないことがある現実に直面し、政治家となることを志しました。「ジバン、カンバン、カバン」がない中でしたが、26歳で美濃加茂市の市議会議員に当選することができました。

当選後は、がむしゃらに勉強し、多くの現場を回り、たくさんの人に会いに行くなど、限られた時間を無駄にしないように、自らの信念に従い活動をしていました。そんな積極的な活動姿勢が、裁判の中では活動の一部を切り取り、「お金を受け取ったから熱心に行動した」かのように扱われてしまいました。**警察も検察も裁判所も正しい事実を認定できず、こんなことがまかり通ってしまっては、真面目に熱心に行動する政治家がいなくなってしまうのではないかと強く危惧しています。**

〈「逮捕、起訴」〉

28歳で美濃加茂市長に全国最年少市長として当選してから、ちょうど1年。２０１３年6月24日、この日を境に、私の人生は突然大きな転機を迎えることとなりました。未明に目を覚ますと自宅の周りに大勢のマスコミが押し寄せ、田舎道は人と黒塗りの車で埋めつくされていました。

まさに夢と現実の区別がつかないまま、急ぎ市役所へ車を走らせ、記者からの質問に答え、捜査員の言うことに従い、任意同行で愛知県警のワゴン車に乗り込みました。ワゴン車を報道の車が何台も追尾し、ヘリコプターまで飛んでいたという話を聞きました。私は、カーテンで閉め切られたワゴン車に揺られ、気がつくと名古屋市内の狭い狭い取調室の中へと連れて行かれていました。当時、私が知っていることを全て話せば、すぐに市役所に帰り、市長の公務に戻れるものだと心から思っていました。しかしながら現実は、違いました。「事情を聞いていく」と言いながら、席に着いた途端「さっさと金を受け取ったことを認めろ！」の怒号と、机に書類を激しく叩きつけるという刑事ドラマでも見ないような光景が目の前にありました。

まだ任意同行の段階だったので、実際にはスマートフォンなどでの記録や、弁護士をはじめ外部の人と連絡を取ることも可能でしたが、警察官は自分たちにとって都合の悪いことは当然教えてくれません。私は警察官に言われるがまま、スマホや時計をはじめ身につけているもの全てを取調室に入る前に預けてしまいました。「仕事の連絡もあるから、市役所と話がしたい」と言っても「今はできない」と理由もなく断られ、そういうものなのかと従ってしまいました。自分が警察に疑いをかけられ、逮捕されてしまう。そんなことを考えたこともなく、身を守る術を何一つ知りませんでした。

皆さんは、どんな状況でも間違って屈してしまうことがないように、日頃から身を守る方法を身に付けておくべきだと思います。緊急時に自分にとって有利な選択肢など誰も教えてはくれません。

それから私は、手錠をかけられ、留置場と拘置所で、弁護士以外は誰とも会うことができない接見禁止のついたまま62日間拘留されることになりました。「決定的な証拠がある」と言いながら、毎日何時間も取り調べを繰り返し、更には市役所の職員や支援者、家族、友人、そして教え子までにも検事、警察官が取り調べを行ない、「さっさと言わないから色々な人に迷惑がかかる。美濃加茂市を焼け野原にするぞ」そんなことまで言われ、さすがの私も精神的にかなり不安になりました。身体を勾留し、精神的に容疑者を追い込むことで事件の真相を解き明かす手法に意味があった時代があったのかもしれませんが、情報やデータが以前に比べ格段に早く入手できる現在において、客観的証拠をもっと重視した捜査方法に変えることができるはずだと私は思います。

司法制度の課題についてここで記すことは避けますが、**普通に日常生活を送っている人にとって司法制度について考える機会はほとんどないことだと思います。私も当事者になるまで、全くの無知でした。しかし、いつ何時自分や大切な人にその災いが降りかかるのか分かりません。こんな現実があることに少しでも関心を持っていただき、改善の必要性を皆さんと考えることができたらと思います。**

〈情報発信の重要性〉

逮捕直後、龍馬プロジェクトの上原（うえはら）弁護士には留置場まで駆けつけていただき、郷原信郎（ごうはらのぶお）弁護士をはじめとした弁護団の先生とのご縁をいただき弁護活動を行なっていただきました。司法制度に全くの素人だった私は、「逮捕後の手続き」から教えてもらい、その全てを弁護団に委ねました。

逮捕当日から「全国最年少市長逮捕」のニュースは東海地方ではもちろんのこと、全国ニュースでも取り上げられました。報道は「逮捕＝罪人」といったもので、誰が見ても読んでも「汚職青年政治家を正義の警察が逮捕した」という印象が極めて強い構図となっていました。それもそのはずで、通常は新聞やテレビの記事ネタは警察発表や検察からの情報提供となっており、逮捕された側からの情報発信は極めて限られたものになりがちです。

しかしながら、私は当時、現職の市長でした。市長の職は市民の支持がなければ全うすることができません。弁護団はその立場に配慮し、弁護活動の方針を「事実無根の事件で無罪を勝ち取る」ではなく「逮捕がいかに間違っているのかを市民に伝え、理解され続けながら、無罪を勝ち取る」というものでした。

郷原弁護士のブログをはじめ、私が勾留されている期間には記者会見はもちろんのこと、市民への説明会やネットでの動画配信など様々な手法での情報発信を積極的に行なっていただきました。保釈後には私も何度も記者会見を行い、判決前には記者からの質問がなくなってしまうほどになっていました。**個人で情報の発信ができる今の時代においては、今回のような世間を巻き込むような事件があった時には、積極的に情報を提供していくことが大切ではないかと思います。**逮捕直後に、神谷会長には「私の言葉を信じる」旨のブログを書いていただきました。世間からは批判の嵐だったと思います。当然、情報発信には責任が伴いますが、その分、鮮明に信じると言ってもらえたことは何よりも嬉しいものでした。

〈現状の問題と向き合うこと〉

その他、裁判中には常識では想像できないような出来事が幾つも起こりました。ご関心いただける方には、郷原弁護士の著書『青年市長は〝司法の闇〟と闘った』を手に取っていただけましたら幸いです。

そして、前述したように、最終的に有罪判決が確定しました。**我が国の司法は、最後は真実を見極めてくれると信じていましたが、それはあっけなく裏切られました。**私はこの国に「冤罪」が存在することを、身をもって知ることになりました。書き記したいことは山ほどありますが、また機会をいただけたら事細かにご説明申し上げたいと思います。

新しいことに挑戦し、時代を切り拓いていくことも大切ですが、立ち止まり、現状の問題と向かい合い本質的な改善にはどのような手段が必要なのか知恵を絞り、行動していくことも必要です。日本はまだまだ不完全であり、次世代のために変えなければならないことが幾つもあります。

逮捕事件があったにもかかわらず、美濃加茂市民の皆様をはじめ多くの人に信じ、支えられ、励ましていただき今日があります。立ち向かわなければならない課題から目を背けず、志ある仲間と共に日本と世界の未来のために邁進していきたいと思います。

自民党「除名処分」で向き合った政治の原点

豊島区議会議員　細川(ほそかわ)　正博(まさひろ)

〈「7人の侍」と呼ばれ〉

２０１６年7月の東京都知事選挙において、私は当時所属していた自民党の東京都支部連合会（以下、都連）の決定に反して小池百合子(こいけゆりこ)氏の陣営に入り、後日同都連から除名処分となりました。都知事選前後の政局は世間の注目を集め、小池氏陣営の7人の自民党所属区議は「7人の侍」とマスコミから呼ばれ、当時は連日のように報道されました。その後は地域政党「都民ファーストの会」の結成、同党が躍進した翌年の都議選へと繋がっていきます。

本稿では、都知事選前後の政局を振り返り、**大政党に所属する地方政治家としての私自身の葛藤・心境の変化、この経験を通じて見えた本当に大切だと感じたこと**を記します。

〈小池都知事出馬までの流れ〉

２０１６年6月21日、舛添要一(ますぞえよういち)東京都知事が辞職し、7月に東京都知事選挙が行われることとなりました。様々な候補者名が取り沙汰される中に小池氏（当時は代議士）も含まれていましたが、以前の都知事選でも小池氏の名前が挙がっていたため、私はさほどリアリティのある話とは捉えていませんでした。

6月のある日、私は用件を知らされず小池氏に議員会館へ招かれました。集まったのは小池氏の他、名前は差し控えますが東京10区（当時は豊島区と練馬区東部）の政治関係の重鎮が10名弱。議題は都知事選への対応であり、この時に初めて都知事選に関わる可能性が高いことを意識しました。この中に2期目の若手議員に過ぎない私が呼ばれたのは見込まれてのことだろう、と意気に感じました。

6月下旬、自民党豊島区議団（当時14名）内での協議では、小池氏が自民党からの推薦が得られない場合の対応は意見が分かれていました。

6月29日、小池氏は「崖から飛び降りる覚悟」と都知事選への出馬意欲を記者会見で表明。会見のタイミングは区議団にも知らされていませんでした。都連が推薦可否を参議院選挙の投開票日である7月10日以降に先送りしたことを受け、後日小池氏は推薦願を取り下げ。

7月14日、都知事選告示（投開票日は7月31日）。有力と言われた候補者は、増田寛也氏（自民党・公明党など推薦）、鳥越俊太郎氏（民進党・共産党・社民党など推薦）、そして小池百合子氏でした。

自民党推薦候補ではない小池氏の陣営に入った自民党所属の地方議員は、私を含む豊島区議5名、練馬区議2名の7名のみ。なお、行動を共にした練馬区議は龍馬プロジェクト全国会の同志の村松一希氏、尾島紘平氏です。

小池氏が自民党推薦を得られないかもしれない、という観測は当初からありました。陣営入りした区議は、小池氏が強行出馬して落選した場合は本人諸共、党を除名になると覚悟していましたが、逆風を跳ね返して当選した場合は違う展望が開けると予測していました。

〈自分の原点と向き合う〉

私は前述の経緯もあったために小池氏が出馬の際は陣営入りする意向を固めていました。しかし有権者への説明が必要になるため、6月29日の出馬意向の記者会見以降に改めて私が小池氏を応援する理由を大きく3つに整理しました。

1．これまでの人間関係、個人的にお世話になってきたこと

これには私が前述のように意気に感じたということも含まれます。

2．能力や人格などが都知事にふさわしい候補であること

私は身近に接してきて小池氏の政治家としての能力、人格は申し分ないと思っています。クールビズを我が国に定着させた柔軟な発想力・実現力の他、語学力や答弁力も高いです。全国各地から自腹で応援に訪れた元秘書や元スタッフが多くいたことが小池氏の人望の厚さを物語ります。

3．地元の後押しがあったこと

小池氏を応援すれば私自身も党籍を失うかもしれないという中、後援会幹部は全員一致で小池氏を応援しようと後押しをくれました。地域回りの際にも地元から都知事を出したいというエールを沢山頂くことができました。後顧の憂いなく活動させてくれた地域の方には感謝してもしきれません。

上記の理由に嘘も偽りもありませんが、実は小池氏の応援を決断した後にも何か心に引っかかるものがありました。この理由が分からず何日も自分自身に問いかけ、ようやく答えにたどり着きました。それは私が何年もかけて党内や会派内で築いてきたキャリアを失うのを残念に思っている、という感情でした。**生まれ育った地域に貢献すべく地方政治家を志したのではなかったのか、「地方から日本をよくする」という思いで龍馬プロジェクトに参画したのではなかったのか。それに比べ何とつまらないことを考えているのだと自分自身を恥ずかしく思いましたが、深層心理にあった自らの感情と向き合えたのは大きな経験です。改めて地方政治家を志した原点に立ち戻った活動をしようと心に刻むことができました。**道に迷いそうな時、私はこれをまた思い起こせばよいのです。

〈出陣前の涙と逆転勝利〉

陣営入りを決断した後も、勝てるという確信はありませんでした。当初の選挙準備の打合せには小池氏の秘書数名と私たち7名の区議しかおらず、衆議院総選挙よりも小さな所帯で巨大組織を相手に戦い抜かねばならない現実を突きつけられました。

告示日の朝、ベテラン議員の奥様が涙ぐみながら私に声を掛けてくれました。「細川さんは若くて将来があるのに、こっち（小池氏陣営）に来させちゃって……ありがとうね」

自民党一筋で20年以上活動してきたベテラン議員が自民党を離れるかもしれない重い選択をしているにもかかわらず、私へのお心遣いを奥様はして下さいました。**出陣前に涙は禁物かもしれませんが、**

私は不覚にももらい泣きしそうになりました。それほど悲壮感漂う船出であったと言えます。

選挙の第一声は池袋駅西口、マスコミが多数いる他は衆議院総選挙の出陣時より若干聴衆が多い程度。ここからは日増しに支援者の方が各地で増え、敵失もありながら右肩上がりに伸びていく選挙でした。17日間の選挙戦を経て小池氏は291万票を得て見事に当選、女性初の都知事誕生の瞬間です。

〈除名処分から都民ファースト躍進、そして希望の党へ〉

激しい選挙戦後、既に都連との関係は感情的にもつれており簡単に着地ができる状況ではありませんでした。9月21日に都連から「党紀委員会の決定について」の文書が7名の区議に対し出され、10月30日までの期限付きの離党勧告処分（従わない場合は除名処分）とする内容でした。小池氏にはお咎めなし、同じく陣営入りをした党所属の国会議員には口頭による厳重注意のみ、という中で地方議員のみに厳重な処分を行うというもの。処分のアンバランスさに私たちは反発して離党届を提出せず、その後の話し合いも平行線を辿った結果、12月に7名の区議は除名処分となりました。

除名処分後、豊島区議会に新会派「都民ファーストの会豊島区議団」を結成、年明けには地域政党「都民ファーストの会」を立ち上げ。私は当初の綱領や規約作りにも参画、新党が一過性のものとならないよう検討しました。

2017年7月に行われた東京都議会議員選挙の際には裏方として動くと共に、都内全域の遊説を担当。都議選では定数127に対して55名（追加公認を含む）が議席を得て第1党になる躍進。都民ファーストの会が「ふるい都議会を、あたらしく！」を標榜して多くの議席を得た責任は、都政の改革という結果で果たすしかありません。

ここまでは順調でしたが、10月の第48回衆議院総選挙で政策協定を結んだ「希望の党」の大敗で状況は一変。この時を境に党勢は失速しましたが、このチャレンジは前向きに捉える他ありません。当時は国政選挙での自民党への支持が決して弱い時ではありませんでしたが、明確に対立軸となり得る政党が出てきた場合には国民の期待が寄せられる可能性は示せたのではないかと思います。

〈誰をバスに乗せるのか〉

私の短い政治経験の中でも数多の新党が立ち上がっては消えていくのを何度も見ています。短期決戦でいくつかの選挙には勝っても、大抵は数年しかもちません。政党を作るには、やはり理念と同時に人間関係が大事になります。順境では仲良くできても、逆境時に分裂するのであれば同志とは言えません。

『ビジョナリーカンパニー2』という書には、「偉大な企業への飛躍をもたらした経営者は、（中略）**はじめに、適切な人をバスに乗せ、不適切な人をバスから降ろし、その後にどこに向かうべきかを決めている**」という調査結果が示されています。まずは一緒に行動する同志を集める必要があります。また、私のように所属政党が変わった際、それを理由に人間関係が途切れてしまうようでは、やはり本当の意味で同志とは言えないと思います。その点、龍馬プロジェクト全国会の同志とは全く変わらない付き合いができているし、自民党都連所属議員の中にも少数ですが人間関係が続いている議員もいます。龍馬プロジェクト全国会が立ち上がって10年、**正にこのような同志を集める活動を我々は続けているのです。**

佐藤一斎（さとういっさい）の『言志四録』に、「**一灯を提げて暗夜を行く。暗夜を憂うことなかれ、一灯を頼め**」とあります。一灯を提げて暗夜を行く、この一灯は何だろうか。そう自らに問いかけ、今後も地域から日本を良くする思いで活動をしていく決意です。

「落選」は人を大きくする

佐賀県議会議員　古川（ふるかわ）　裕紀（ひろのり）

〈議員になるまでの葛藤〉

私は大学卒業までを故郷で過ごし、就職とともに上京しました。しかし離れて分かる故郷や親の有難さ。何も恩返しせずに故郷を出たことを次第に悔やむようになりました。そんな日々が10年近く続いたある時期、実家にいる両親が大病を患い祖母が認知症に。遠く離れた地で私には何もできない現実。すぐにどうこうできるはずも無く、佐賀県内に嫁いだ姉や叔父叔母に助けられました。好奇心と自分さえ良ければいいとの思いだけで上京し、家庭を築き子供も生まれ、車にフレンチブルドッグ。

仕事もプライベートも順調。一見、何の申し分も無い幸せそうな都会生活。しかし、「何かが違う！」。実家に残した家族が困っているのに何もできない自分。幸せなはずなのに今感じている絶望感はなに？　故郷や家族に対する思い。本当の幸せって何だろう？　という疑問。悩んだ末に辿り着いたのは、**故郷や家族を大切にすることこそがこの日本で今求められていることではないだろうか。そんな故郷を作りたい！　これが私の原点となりました。**故郷に対する志を胸に、家族を車に乗せて一路佐賀に帰ったのが２００９年9月でした。

故郷に誇りと愛着を持ち、そして自分のルーツや家族を大切にする教育。地方を離れずとも仕事につける雇用環境。都会に出ずとも直接世界と戦えるフィールド。過度な車社会からの脱却。老後も安心して暮らせる環境。こういったテーマで、故郷のためにしっかりと取り組んでいきたい。そう訴え半年の準備期間を経て戦った２０１０年４月の神埼市議会議員選挙。無謀ともいえる戦いではありましたが、新人トップという好成績で当選させていただきました。

〈心の迷いと2度の落選〉

このまま順調に続いていくと思われた議員生活でしたが、その後、自ら試練を招くことになります。1期４年を務めあげ２０１４年４月の市議選の時期を迎えました。実はその時、すでに翌年15年に控える佐賀県議会議員選挙に出馬することを心に決めていました。それにもかかわらず、市議1期４年の審判を受けるべきか、それともまっすぐ県議選に出るべきか、決断することができなかったのです。

結局、中途半端な気持ちのまま市議選に出馬。もちろん選挙はそんな甘いものではありません、結果は僅か10票差で惜敗しました。

ふらついた気持ちで出馬したばかりに、落選によって次の身の振り方がとても難しくなりました。「落選したのだから市議から再出発すべき」という意見。それでも県議選に出るというと「市議選がダメだったのに県議選？　身の程をわきまえろ！」という声も。

あらためて市議選に再挑戦すべきか？　それとも県議選へ？　もし市議からやり直すとなると4年後に再選されたとして1期4年務めてからの県議選挑戦は9年後。2期8年務めてからだと13年後。そうこうしているうちに優秀な若者が官僚を辞めて故郷のためにと帰って来るかも知れない。政治の世界は、一寸先は闇。自分の年齢は？　子供たちはいくつになる？　両親の病状はどうなっている？　体力（経済力）は続くか？　支援者の反応は？　選挙区内の若手の動きは？　などなど。悩みに悩んだあげく周囲とも相談し、やはり２０１５年4月の県議選に挑戦させていただくことにしました。

まさに全身全霊をかけた戦い。強力な現職お二方を相手に3人で2議席を争う選挙。目標７０００票。下馬評は散々でした。なにせこちらは市議選で６００票取れなかった候補です。しかし、結果は大方の予想を大きく上回る６４４２票。僅か及ばず落選でしたが、次につながる数字でした。それでも負けは負け。事務所にて遅くまで開票を見守っていただいた支援者の皆様に敗戦の弁を述べ、長くて短い選挙戦が終わりました。

〈それでも私はやりたかったのです〉

落選の翌日は月曜日。子供たちは学校です。昨日のことをどう思っているだろうか？　学校で嫌なこと言われたり虐（いじ）められたりしないだろうか？　当然のことですが、こちらの気持ちなど関係なく日常は冷酷なほど淡々と続いていくのです。

前年からの2連敗。さすがにダメージは大きかった。すぐに辻立ちを再開しようにも膝が震えてしまう。街頭演説しようにも言葉が出てこない。体は正直です。そして、家族のダメージも大きかった。**ある日、妻からぽつりと言われた「もう普通になろうよ」の言葉。**さすがに『もう終わりかも知れない』と思いました。

そもそも、4年後に再挑戦するにしても生活があります。選挙資金も作らなければなりません。子供たちも成長します。正直、途方に暮れました。その金銭的ストレスはなかなかのものでした。100円の品物を買うか買わないか迷った挙句に棚に戻して店を出たこと数知れず、数百円の参加費や交通費が払えず参加を見送った講演や会合も多々ありました。以前は「ナニワ金融道」や「闇金ウシジマくん」などの金融系マンガが好きでよく読んでいたのですが、だらしなく破滅していく登場人物に、いつの頃からか自分を重ねて見るようになってしまい、全く楽しめなくなりました。

「私は周りを巻き込んで大変なことをしでかしてしまったのではないだろうか？　果たして人生をリカバー出来るのだろうか？」漠然とした不安と恐怖で鳥肌が立ちました。4年間のうち、正直「死」を考えた瞬間があったのも事実です。

そうやって何もできずに足踏みしている私をよそに、龍馬プロジェクトの志を誓い合った仲間たちは、どんどん活躍していきます。傍から見ていると彼らの活躍は眩しいくらいに輝いて見えました。そんな仲間たちの活躍に焦る気持ちを抑えつつ、心のなかで何度も呟いた句があります。

それは、

『遅れても遅れてもまた君たちに誓いしことを豈忘れめや』

という高杉晋作の一句です。今は後れをとっているけれど必ず追いつくんだ！　との思いからでした。

ジリジリとした日々、そもそもなぜ政治の世界に？　そこまでしてやることなのか？　単に意固地になってしがみついているだけでは？　まさに自問の日々。月日が経てば、こういった経験や自問が貴重だったと笑える日がくるはず、いや、この経験を活かすためにも次は必ず勝つ。そう何度も自分に言い聞かせました。それでも私はやりたかったのです。

〈落選は人を大きくする〉

就職活動もしました。塾講師、トラックドライバー、自治体の臨時職員、工場の検査官など。試験を受けたり面接を受けたり。職業訓練センターでの技能講習も受講しました。生活があるのである程度の収入は必要なのですが、次の選挙への準備を考えると時間いっぱい働くわけにはいきません。また、あまり偏った業種や企業では、いわゆる色が付いてしまって次の選挙で不利になりかねません。自分の年齢や資格など含め、そういった条件を考えるとどんどん選択の幅が狭まる就職活動。思い返せば良い経験だったのですが、当時はなかなかのストレスでした。そんななか、御縁あって佐賀県酒造組合に拾っていただいたことは、本当に有難かったですし、県産品のＰＲに携わることができて大変勉強になりました。

余談になりますがエピソードを一つ。市議選に落選したあと、しばらく次の動きもできなくて家にこもって三線の練習に明け暮れた時期がありました。のちにこれが「一芸」として私を助けてくれました。趣味で高校時代から続けてきた音楽活動。そしてあるきっかけがあって三線に興味を持ち、落選によって得られた練習時間。その三線が好評で、夏祭りなどのイベントやデイケア施設などで演奏をする機会を沢山いただきました。三線によって多くの人たちに私を知っていただくことができましたし、時には演奏後に出演料をいただくことも。このお金によって会合や懇親会に参加できたことも1度や2度ではありません。「葉隠」の教えでは「一芸」あるものは侍では無いと戒められますが、私は「一芸」に助けられました。「芸は身をたすく」は本当だなと心から実感した次第です。

そんな苦労を重ねながら、なんとか4年を乗り切り、２０１９年4月の県議選を経て佐賀県議会議員としての歩みを始めました。５年ぶりの公職復帰です。

落選は経験せずに済むならそれに越したことはありません。しかし落選という経験は、1回りも2回りも私を大きくしてくれたことは間違いありません。以前よりずっと謙虚になりましたし、人の痛みの分かる人間にさらに一歩近づけたかなとも思います。全ての経験は意味があると信じて、信念を貫き故郷のため精進していくのみです。

今でも時々、以前登録していた人材派遣会社から「今も職をお探しでしょうか？」との電話があり、当時の苦労を思い出す良い機会となっております。

志だけでは政治はできない

廿日市市議会議員　荻村（おぎむら）文規（ふみき）

〈人生初の大号泣〉

２０１５年10月19日（月）午前6時30分。毎朝立ち続けたいつもの交差点に到着。行きかう人々皆が、『あっ、あいつ昨日の市長選挙で断トツのドベ（最下位）じゃった奴じゃ（笑）』と、嘲笑の的になっている気がしてならない。いつもはスローガン幟を手にしていたが、今日は何も持たずにひたすらお礼と感謝を込めて頭を下げようと決め、いつものポジションに。そして行きかう車に向かって挨拶し始めると、『よー頑張ったの～！　お前の挑戦は無駄じゃないんで～！』と耳慣れた声が耳に飛び込んできました。その『よ～頑張った』という予想外の温かい励ましの言葉が耳に入った瞬間から挨拶運動終了の8時までの1時間30分、頭を下げながら涙が止まりません。関わって下さった全ての皆さんへの『本当に有り難い』という感謝、『ワシは何しよったんじゃろう』という自分への不甲斐なさが入り混じった複雑な感情。人生初の1時間30分にも及ぶ大号泣を私は44歳の秋に経験したのでありました。

〈偉大な吉田松陰先生〉

私は世界文化遺産安芸の宮島を抱えるまち、広島県廿日市市の荻村文規と申します。現在49歳、3期目の市議会議員です。サラリーマンの父と専業主婦の母の下、政治とは無縁の家庭でしたが、中学3年の夏休みに親友から半ば強引に押し付けられた幕末の志士『吉田松陰先生』の本によって政治に開眼しました。それまで歴史の本を読むのは大嫌いでしたので幕末の動乱期に日本に何が起こったのかさっぱり分かりません。当時の大親友が『どうしてもこれを読んで感想を聞かせろ！』と鬼気迫る表情で言うものですから、根負けして読み始めましたところ、一気に最後まで読めるではありませんか！　**吉田松陰先生の天下国家を思う気持ちや弟子の若者の活躍、そして何より命を懸けて護ろうとした日本という国の素晴らしさにその本によって初めて気付かされ、グイグイと引き込まれたのであります。**14歳の私はまだ純粋でした（笑）。**『多くの先人が命を懸けて護ろうとした日本に生まれた身として、その素晴らしい日本を次世代に繋げていく役割は政治家しか果たせない。自分も政治家となってその一翼を担おう』**とすぐに感化され、今に至っております。

大学受験は物凄い数を受けましたが（笑）全て政治学科、そして在学中は自民党学生部に参加し初めての選挙手伝いを経験。卒業後は国会議員秘書を務めその後、地元に戻り市議会議員をやっていますので、吉田松陰先生のお力、中学の大親友の魔法には凄いものがあると言わざるを得ません‼

〈あったのは『志』のみ〉

そんな私の初当選は2011年10月に行われた市議会補欠選挙でした。補欠選挙まであと10か月。名刺・リーフレット作成、そしていよいよ地域を歩きだしました。そこで言われたことは……。

『あんたを誰が推しよるんね?』『あんたの後援会長は誰なん?』『後援会はあるんか?』

私の家の周り、半径300メートル以内に現職の議員が3人います(私を含め現在4人の現職議員がいます)。そんな状況ですので地域の有力者はその3人のうち誰かを必ず推しています。そして私が住む地域はいわゆる「田舎」。「3バン」と言われる、地盤(後援会組織)、看板(知名度)、カバン(お金)がないと当選はなかなか難しい地域。地域を歩いて聞かれるのはまさにその「3バン」でしたが私にはそのどれもありません。あるのは、生まれ育った地域を良くしたい! という「志」だけです。

2議席を5人で争う激戦となった補欠選挙の結果は2位当選。

議会の選挙では「3バン」がなくとも何とか戦えたのですが……。

〈止まらなかった思い込み〉

私は、政治家志望の頃から林英臣政経塾の門を叩き、初当選後は龍馬プロジェクトにも入らせてもらいました。周りは私よりも若く眼がギラギラした「志高い」方ばかりに見えました。実際20代で市長になった方や若くして県議会議員、そしてまた知事や国会議員の誕生と実力派揃いです。その学びの場でも一番大切なのは「志」だと習います。「やはり俺は間違えてない。3バンはないけど一番大切な志は持っている。これさえ磨けば俺だって首長になれるハズ」元々首長思考かつ単純バカの私は、周りの「高い志があり実力もある」同志の皆さんと実力もない自分を勝手に同一視し、同じように若くして首長になれる！　と思い込んでしまいました。

補欠選挙初当選から1年半後に市議会議員選挙がありました。ここでも辛うじて「志はあるが実力はない」のに当選。上位当選ではありませんでしたが、当選してしまったことで私の勘違いが助長されました。「よし、次の市長選挙時は44歳で市議当選2回。周りはドンドンチャレンジして当選しているのだから俺だって出来るハズ！」思い込みは止まりません。かくして選挙半年前には市議会議員を辞職し、自分の中では満を持して市長選挙に臨みましたが、4人出馬のドベ（最下位）。それも100票足らずで100万円の供託金を没収されるという、屈辱的な「泡沫候補」のレッテルまで貼られてしまい、冒頭の市長選挙翌日、人生初の大号泣につながっていくのでありました。

〈「志」だけでは食べてはいけない〉

私には手に職がありません。わずかな貯金も無謀な市長選挙で全てなくなりました。選挙を終え、数日経った頃、飲食店経営者の知人から連絡がありました。それは「やる気があるのならラーメン屋のノウハウを無料で全て一から教えるので頑張ってみないか」というお話でした。これは私に手に職を付けさせ、しっかり稼いだ上で明日からの生活の糧や選挙に向けての資金作りをしなさい、という私のことを思っての非常に有り難い申し入れでした。翌日すぐ返事をし、味やコンセプト作りに着手。その後、新潟及び奈良のラーメン店への住み込み修行を経て、2016年12月8日にラーメン店を地元にオープンしました。地元の食材を使ったご当地ラーメンで地元を元気に！　をうたい文句にスタート。オープン初月は大手飲食サイトの担当者も驚くほど評判で行列が出来るほどでしたが、2か月目からは売上げ、評判ともに急落。ここから閉店までの1年4か月、自分の給料は無給です。4か月目の2017年3月、議会選挙では何とか3期目当選をするも、10か月目からは売上げ不振で、苦労を掛けた社員やアルバイトにも辞めて頂き、夜営業は基本自分1人で行うことに。公共料金の支払いも滞り、電気が止まり慌てて支払いに駆け込んだことが何度もあります。ここから更なる地獄のスタートです。昼間は議会や地域活動がありますのでアルバイトに店を任せ、夕方前から店に入り平日は夜10時、金・土は深夜0時まで営業し、そこから片付け・仕込みを1人でやると、朝を迎えていました。閉店までの半年間は店のソファーが寝床で2時間睡眠。げっそりやつれて昼のアルバイトと入れ替わりで議会に向かう日々でありました。

2か月目から赤字で自分の給料も取れないのにナゼそこから1年4か月も続けたかと今思い返せば、周りへの見栄と意地。地元の商店会への出店でしたので地域の方の目を気にし、「あの店、議員が中途半端に店をやって潰した」と思われたくない、との自分の変な意地が早期撤退を阻害し赤字が膨れ上がってしまいました。このラーメン店の件では多くの方にお世話になったにもかかわらず、大変なご迷惑をお掛けし、今でも大変申し訳ない気持ちで一杯です。一方で**地域の飲食店や小規模の事業者さんがどれほど苦労して事業を営まれているかも、身に染みて理解することが出来ました。**大きな負債を背負ってしまいましたが、得難い経験の数々が今となっては大きな財産であり、議会活動を通じて今後のまち作りに必ず活かしていきます。

人口約12万人の我がまちの議会の報酬と政務活動費を合わせても年間約600万円。ここから税金、家庭の生活費を捻出、そして政治活動を存分に行うには厳しい額です。**議会以外で安定した収入があるか資産家でないと、いかに「志」が高くともやっていけないのがほとんどの地方議員の現状です。パートナー（奥さんや旦那さん）はあなたの「志」だけでは食べていけないのです！**「議員報酬以外の真っ当な収入基盤」を急いで構築することは家族にとっても、政治家のあなたにとりましても非常に大事なことであります。

〈時には有権者を叱咤し、教化する政治家に〉

政治家の不祥事や問題発言などが連日のように報道されています。その陰で龍馬プロジェクトメンバーのような高い「志」を持つ政治家が多くいるのも事実です。**誤解を恐れずに言えば、政治家の質は有権者の質であります。**有権者に耳触りの良いことばかりを言うのではなく、時には有権者を叱咤し、教化するくらいでなければ政治（家）の質は上がりません。そのためには当選に甘んじることなく、否、当選後こそ、日々自身を磨くべきことは言わずもがなです。

「志」（論語）は常に高く、そして「安定的な財政基盤」（算盤）を確保することを常に念頭に置いて、より良い日本、そしてより良い世界の構築に向けてそれぞれの置かれた地域で奮闘しようではありませんか。吉田松陰先生が山口県萩の地から日本を変えたように。

皆さまにとって私のほろ苦い話が、少しでもお役に立てればこの上なく幸せです。

第5部　もっと政治を柔軟に

政治の世界に女性を増やそう

高浜市議会議員　神谷（かみや）直子（なおこ）

〈1人から始まった議員活動〉

私が初めて選挙に出たきっかけは、「あなたならなれるから」とおだてられたことでした。市議の補選でたった1人の議員を選ぶ選挙に、地盤も看板もかばんもなく立候補し、当然のように落選したのです。自分の浅はかさを反省し、諦めようかとも思いましたが、応援してくれる人たちを裏切ってはいけないと、2年間の浪人生活を経て2015年の市議選で初当選を果たしました。

ところが、議員になってみると、選挙区事情で、補欠選挙で応援してくれた議員の方々と協力関係が作れず、右も左もわからない中、私は1人で会派を立ち上げて議会活動をスタートしなければならなくなりました。普通の主婦だった私がいきなり1人ですべての活動を作っていくのは本当に大変でしたが、議席を頂いた以上、応援頂いた方々に対し、恥ずかしいことはできないと、心の中ではいつも冷や汗をかきながら、周囲に悟られないように議員活動をしてきたというのが本音です。

そんな時に、龍馬プロジェクトに出会いました。男性の多い会なので、初めは入会に戸惑いました。実は私は、高浜青年会議所に所属し40歳まで男性に囲まれ活動してきて、やっと40歳で卒業し、これからはもっと女性とも連携して働ける市議になろうと思っていたのです。しかし、よく考えてみたら日本の政治の世界はほとんどが男性です。そんな中で女性のコミュニティーを求めて、1人で奮闘していても市民のために働く議員としての成長がないと思い、男女問わず仲間を作った方が得策だと考えて、入会を決めました。

〈仲間作りが私の課題〉

私は、こうした経緯で龍馬プロジェクトに入ったので、男性ばかりの政治の世界で、「**自分のロールモデルにしたり、相談や応援をし合えたりする女性の仲間が欲しい**」という想いを強く持っていました。その想いを、龍馬プロジェクトの神谷会長にお話ししたら、「私も女性にどんどん政治参加してほしいので、神谷さんの仲間作りを龍馬プロジェクトという団体を上手に使ってやってもらえませんか」と言ってくださいました。簡単なやり取りでしたが、私にとっては大きな気付きで、「自分1人で仲間を集めるより、既にたくさんの地方議員が集まっていて、全国にネットワークのある龍馬プロジェクトの中でやればいいのか」と思うことができました。私が入会した当時は女性メンバーが少なかったですが、「意義のある活動を楽しくやっていれば、必ず仲間は増えていく」という変な自信を持っていました。

「議員になるような人は、0から1を作ることは得意なのに、1から10を作っていくことは不得意だ」と聞いたことがあります。確かに、議員をしている方をみると、一人親方で、自由な発想を持ち、活動している人が多いと思います。私も、どちらかというと0から1を生み出すことのほうが得意です。しかし、議会の合意形成では皆さんの意見をまとめていかなければいけません。どんな意見を持たれている方とも話し合って、より良い出口を探していくことが議員の大きな役割です。つまりゼロイチが得意な一人親方の賛同をえられる自分を作らねば、議員として役に立たないのです。龍馬プロジェクトの中で、これから出会う多くの人を仲間にしていくことと、議員としての成長は同じベクトルを向いていて、それこそが私の課題だと思ったのです。

〈龍馬プロジェクトの魅力〉

龍馬プロジェクトの活動にハマったのは、毎年4月28日に靖国神社で行われる総会に、当時大府市議であった日高章さんに誘われて参加してからです。

私にとって靖国神社は、お盆時期に、総理や閣僚が参拝したというニュースで見るものでした。自分で初めて参拝し、神社の大きさにも驚きましたが、バリアフリーになっているのにも感動しました。龍馬プロジェクトの総会が行われる4月28日は、サンフランシスコ平和条約発効日で、１９５２年のこの日、日本の主権が回復したのです。恥ずかしながら、私は龍馬プロジェクトに入るまでそんなことも知らない議員だったのです。この日を総会にしたのは、「日本をもっとしっかりした主権国家にしたい」という会長の想いがあることも初参加の総会で聞きました。「靖国神社」「主権国家」という部分だけ切り取ると、龍馬プロジェクトはすごく右寄りの政治団体だと捉えられるかもしれません。

しかし、私の様に、歴史の知識がなかった様な女性議員でも気軽に入れますし、むしろ女性の方が歓迎されます（笑）。また、政党の縛りもないので、自民党から立憲民主党までいろんな政党の地方議員が入っていることも総会に参加して分かりました。**龍馬プロジェクトが大切にしていることは、「日本を良くしたい」「国民の幸せを守りたい」ということ**だけで、政策の違いなどは小さな問題だという捉え方のグループでした。また、昼間は天下国家という真面目な話をしていますが、夜の懇親会などではみんなすごく面白い方ばかりで、**オンとオフのはっきりした活動をしているのも龍馬プロジェクトの魅力だと感じました。**

こんな龍馬プロジェクトに入会してから、私の行動も少しずつ変化してきた様に思います。女性は、家事や育児で忙しいのもありますが、毎日の雑事をしていると、どうしても視野が狭くなりがちです。神谷会長は、**「鳥の目、虫の目、魚の目」が大事**だとよくおっしゃいます。鳥の目は俯瞰して物事をとらえる目、虫の目は地域や生活に密着した細かいところにも気が付く目、魚の目は世の中の時流を見極めることのできる目、という意味です。そんな視点を持ち、独りよがりにならず、地域のこと、国のこと、世界のことを考えて、発信や政治活動をしていこうという龍馬プロジェクトの中にいると、私も影響を受けているのだと感じています。

〈政治の世界に女性を増やそう〉

ここまで龍馬プロジェクトに入会した思いや活動の感想などをお話ししてきましたが、上記の様な思いと積極的な活動への参加が認められたのか、今私は龍馬プロジェクトの女性部会長を任されています。繰り返しになりますが、政治の世界にはとにかく女性が少ないので、女性部会では、政治に興味のありそうな女性の方がいらっしゃれば、まずお会いして話をしようと心がけています。みんなが集まる口実を作るために、囲碁教室やマナー講座を開催したり、こまめにメンバーに連絡を入れたりと、私なりに一所懸命考えて活動を作っています。ほかにも仲間集めの情報発信として、慣れないながらも女性メンバーで動画を作って発信を試みたこともあります。こちらはあまり上手くいきませんでしたが、このスキルは後で選挙に役立ちました（笑）。

神谷会長は、「**ワンピースのように仲間を作って、1人ではできないことをみんなでやっていこう。地域にいる議員や住民が、志を持って、行動していくことで、日本を変えていこう**」とメッセージを出されているので、私も試行錯誤して、仲間の力を借りながら、思いの通じる新しい女性メンバーが増えるように取り組んでいます。

〈生活者の視点を政治に〉

政治の世界に女性が増えることで、発言力も強くなり、男性優位の法律も変えていくことができると考えています。昨年は寡婦の税控除にシングルの未婚の父、母も対象となるように制度が変わりました。こういう変化も議論の場に女性が多くいないと、声を上げても聴き入れてもらえなかった現実があります。女性の目線でものを見ると、生活の中の違和感をキャッチできます。そういう細かいことに気が付くのは女性の感性や細やかさだと思うのです。そして、議員になれば現実に制度を変えていけます。例えば、自転車の荷台に子供を乗せる場合、幼児用の補助いすが必要ですが、いすに乗れる子には年齢制限があります。現在の法律では幼児となっていて、幼児とは6歳未満の子供のことを指し、年長児が6歳の誕生日を迎えたら、その時点で乗せられなくなります。しかし、実際の生活視点で見れば、幼稚園、保育園の送り迎え、買い物などがあり、小学校入学までは補助いすを利用したいという声が大きいと思います。この点を改善しようと思えば、道路交通法を変えないといけません し、幼児用の荷台の負荷も考えていかないといけません。本当に些細なことかもしれませんが、こうした生活者の視点を政治に反映していけるのが女性議員の強みではないかと思っています。

私も実際議員をしてみて、自分の些細な声が行政に反映されることを経験してきました。**政治は私たちのもので、私たちの手で作っていけるのです。そういう面白さを知り、今はこの仕事に夢中です。**

1人では何もできないとうつむいていた私に、勇気をくれたのは龍馬プロジェクトで知り合った仲間でした。そして今は私が仲間と仲間をつなぐ仕事をしています。女性の皆さん、あなたも1歩踏み出して、私たちと一緒にやってみませんか。

全員参加型の社会作り

中野区議会議員　稲垣（いながき）淳子（じゅんこ）

〈「政治」に真剣に向き合う〉

私が龍馬プロジェクトに入会した大きな理由のひとつは、**「選挙」ではなく「政治」に真剣に向き合う人たちの集まりであると実感したから**です。選挙は政治家として自分の政策や理念をかたちにするために超えなければならない重要なハードルの１つではありますが、当然のことながら選挙に当選して政治家で居続けることが目的となってはいけません。龍馬プロジェクトはその類の政治家はほとんどいない貴重な政治団体と言えます。メンバーには現役の政治家のみならず政治家志望の方、企業経営者や学生さんたちもいて、様々な立場から今の日本の政治や社会をよくしよう、という熱い想いを抱いている人たちが集っています。また、メンバーの議員の中には次の選挙に当選できる力がありながら、政治以外のフィールドで力をつけ視野を広めたいと、あえて改選時に出馬せず新しいチャレンジを始めた方もいます。私にとっては選挙ではなく政治の勉強ができる貴重な場であり、己の小ささを実感し、政治家としてもっと社会や国を良くするために自己研鑽しなければと気持ちを引き締めることができる大変ありがたい場です。最近では、政党というものが国と地方を結ぶ政策集団ではなく、単なる選挙の互助会的な組織になりつつあるように思えてなりません。政党活動とは、同じ志や理念を共有し、新しい政治や社会を作り上げていくためのものではなく、国会議員、地方議員ともに互いの次の選挙に繋げるためのファクターの１つにすぎなくなっているようです。**龍馬プロジェクトのような政党ができることがこの国の将来にとっての理想**だと思っています。

〈女性の議員が増えると〉

10年以上、地方議員として仕事をする中で、女性議員の数はもう少し増えた方がよいと考えるようになりました。特に、子育てや介護、地域のボランティア活動など、女性がまだまだ中心を担っている日常生活や地域の身近な課題を解決していく立場の**地方行政においては、女性の想いや声がもっと政治に反映させられるような議会構成になることが望ましいのは間違いありません**。男性と女性の感性や感覚、考え方はかなり異なっています。どちらが優れているとか、どちらが正しくない、ということではなく、お互いの良さをバランスよく政治に反映させていくべきです。現在は女性の方がまだまだ少数派のため、その良さが充分に発揮できていないように感じています。特に地方議員は住民に一番近い政治家であり、お1人お1人と直接話したり相談に乗ったりする機会は非常に多いです。総じてコミュニケーション力や共感力に長け、住民と同じ視点で政治を見つめることができる女性議員が増えることで、政治がもっと身近なものになり、関心をもってもらいやすくなるという効果もあるでしょう。

また女性は男性ほど権力闘争に重きを置かないため、女性議員が増えると内部の覇権争いに費やされている時間やエネルギーを住民の直接的な利益に振り向けようという動きが強まり、**パワーゲーム中心の政治から政策中心の政治への転換も期待できる**と思います。東京は比較的女性議員が多い方ですが、それでも都内全市区町村議会における女性議員の割合は平均して約30%（2020年1月1日現在）です。この中でも共産党、公明党など候補者の当選確率が高い組織型選挙を行なう政党に所属している、もしくは私のような無所属の女性議員が多くを占めており、自民党の女性議員は非常に少ないです。現在でも地方議会のみならず、国会でも自民党が多数派を占めていることを考えますと、これこそが今の日本社会の縮図と言っても過言ではないのだろうと思います。今後、自民党の女性議員が大幅に増える、もしくは女性議員が多い政党が政権を取る時代がくるとすれば、その時こそが本当の意味での女性活躍が日本で実現しているときなのでしょう。

〈全員参加型社会〉

日本は経済的に豊かで治安も良く、誰もが教育を受ける権利を憲法で保障されている非常に恵まれた国であるにもかかわらず、自己肯定感が諸外国に比べて非常に低く、将来にも不安を抱えて結婚や出産にもなかなか踏み出せない人が多かったり、ひきこもりが100万人以上いたりする、等の問題を抱えています。ひとり1人が自分の未来は自分で切り開いていけるんだという意識と自信をもち、精神的に自由に生きていけるようになること、これが本来の成熟社会の姿であり、政治の役割はその仕組み作りやサポートだと考えています。**その1つとして女性、若者、高齢者、障害者等ひとり1人が能力を発揮することで、活き活きと働ける「全員参加型社会」の実現は必要不可欠です。**人は自分が誰かに必要とされていると実感できた時、誰かの役に立てたと思えた時、自分の成長を肌で感じられた時に大きな充実感を味わうことができます。ボランティア活動でもそれは実感できるのかもしれませんが、やはり仕事を通して報酬を得ながらの方がより大きな充実感が生まれますし、そのような人が増えれば増えるほど経済を循環させる効果もあり、結果的に健康長寿や国全体の活力アップにも繋がっていくと思われます。

中でも女性の労働環境を改善し、より社会参加をしやすくすることはこれからの日本の命運を左右する鍵だと言っても過言ではありません。世界経済フォーラムが毎年発表している、グローバル・ジェンダー・ギャップ指数（ＧＧＧＩ）というものがあります。これは、各国を対象に、政治・経済・教育・健康の４部門について、男女にどれだけの格差が存在しているかを分析してスコア化したものです。残念なことに日本は昨年、このＧＧＧＩの総合ランキングにおいて１５３カ国中、過去最低の１２１位となりました。先ほども少し触れましたが、特に政治分野では１４４位とかなりの遅れをとっています。次に順位が低いのが経済分野で１１５位となっています。まずは政治経済分野での男女格差がなくなり、もっと女性が活躍できるようにしていくことが必要です。

〈女性の潜在能力を生かそう〉

50歳時未婚率という言葉があります。これは以前、生涯未婚率と呼ばれていたものでしたが、50歳時点で1度も結婚をしたことがない人の割合のことを言います。政府の推計によれば今後この未婚率は上昇を続け、20年後には男性の３人に１人、女性の５人に１人が生涯未婚となるだろうと見込まれています。また結婚している場合でも男性が先立つケースが多く、高齢者においては、女性の単身世帯の割合が既に男性よりも高くなっています。離婚率も高止まりしている中、女性の1人暮らしが今後も増え続けることを考えますと、女性が自分自身で安定した経済的基盤を作ることができるようになることは、社会全体を安定させる意味においても非常に重要なファクターです。結婚してもしなくても、子供を産んでも産まなくても女性が仕事を続けられるようにすること、また子育てや介護、自身の病気や障害など様々な理由で一旦仕事を中断せざるを得なかった場合であっても、スムーズに社会復帰できるための環境を整備することは、政治が取り組むべき重要な課題と言えます。

内閣府が公表している最新の「男女共同参画白書（令和元年度版）」によりますと、生産年齢人口（15歳〜64歳）における日本の女性の就業率は69・6％と過去最高となり勤続年数も延びてはいるものの、男性と比較して女性は非正規労働者の割合がまだまだ高く、特に高齢者層においてその傾向が顕著にみられます。さらに237万人の女性が就業を希望していながら職についていないという状況もあります。また、同じ白書で公表されている6歳未満の子供をもつ夫婦に関する調査では、男性が家事育児に費やす時間が他の先進国と比較して低い水準にとどまっています。共働きの家庭においてでさえ、家事については約8割の男性が、育児においても約7割の男性が行なっていないという調査結果も出ています。また、企業における男女の賃金格差が依然としてまだまだ大きいという問題もあります。フルタイム勤務の場合、男性の給与水準を100とすると女性は73・5という数字にとどまっており、この日本の男女間の賃金格差はOECD加盟国の中でもワースト3に入るほどの大きな差です。こういった状況に鑑みるに、**まだまだ眠っている女性の潜在能力を社会で花開かせ、日本を元**

気にしていくためには政治が動く以前の問題として、男性の皆さんの意識改革も非常に重要となってくるのではないでしょうか。私自身といたしましては、例えば女性の再就職支援や保育所整備など、どのような生活状況であっても、働きたい、働き続けたいと願う女性が誰でも安心して社会参加できるよう、地方議会でできることから今後も1つ1つ地道に取り組んでいきたいと思っています。

政党も世代も全て超越する政治を

佐賀県議会議員　下田（しもだ）寛（ひろし）

〈野党畑をひた歩き〉

私は、民主党・民進党・国民民主党と、野党畑を歩み続けている議員です。龍馬プロジェクト所属の議員の中でも、私のような立場の人とは、ほとんど会ったことがありません。「保守」思想を大切にする組織において、私のような人間は、「なぜここにいるのか?」とよく誤解されたり、不思議がられたりすることが今でもあります。

政治活動を始めてこれまでの間、かなりの人たちから、「自民党に来い」とお誘いを受けました。しかし、自民党が日本をしっかり先導しているという確信は持てず、単に「与党の方が仕事がしやすい」とか「野党よりはまし」という単純な道しるべで、果たして日本をより良い方向に導けるかと思うと、甚だ疑問しか今も持てません。また、地域で生きる1人間として、今まで私を育んでいただいた方々とお別れしてまで政党を移ることや、そもそも現場で人と接し、政策立案することについては、政党は関係ないと今でも確信していますので、今までのご恩を大切に、政治活動に励むことこそが人として、政治家として最も大切であると考えています。

また、どうしても既存政党と相容れない人たちがいます。政党と個人について、どの政党を支持するかということは、既に既存の政党を支持している人たちは、政策は抜きにして、もはや今までの生き方とリンクした部分が多く、議論しても解決できないレベルに達していると感じております。これから、政党の在り方についても、既存政党の自浄作用に期待はしますが、私の立場だからこそ議論ができる人たちの声を最大限尊重しながら、現場から叩き上げる国創りが、今こそ求められている気がしてなりません。

これからの日本は、勢いを増して激動の時代になると予測しています。政党は2大政党を目指す傍らで離合集散を繰り返し、既存の社会システムはどんどんと書き換えられ、一時期は破壊が続き、世界レベルで新たな時代が創造される時期に既に突入していると考えます。

また、その際に大切に守るべきことは何かが問われます。**政治の原点は「人」です。当たり前ですが私は、「政治とは、個人と家庭が大切に守られること」が大前提であると考えます。**そして、その根源には、日本という国があり、国として守るべき伝統文化を改めて見つめ直し、あらゆる人々を包摂するだけの器量を備えた人物を、様々な分野から世に送り出さなければなりません。

〈全部巻き込んでしまえ〉

腹を決めて野党畑を歩んではいるものの、議会では過半数を取った体制側の意見が通るシステムになっています。たとえ、どんなに私の意見が筋の通っていたものであっても、微妙なニュアンスや政党的な視点などから通すべきでないという結論になれば、ことごとく潰されてしまいます。それは無残なもので、対個人で議論をしたら意見さえ何ら持っていないような相手でも、数の力で押し通されます。

しかし、そんなことで負けていては私が議員になった意味がありません。幸いなことに私は過去に衆議院議員秘書として、毎日地元民の間を走り回っていた経験から、現場から課題を吸い上げる力を育んでいただいていたと思います。その時の経験を活かし、新人当時、小中学校巡りをライフワークとして行っていた時期がありました。議案で文書を見るのと実際の現場を見るのは当然違い、学校をまわりながら、校長先生のお話をお伺いしていくと、現場特有の悩みが小中学校には多くありました。当然、ほとんど全ての課題は教育委員会と学校間で共有されているのですが、教育委員会内や市役所業務全体での優先順位や人的資源などが考慮された結果、実現に至っていない課題が山積していることを確認することができました。

その後、課題をまとめたメモを持って教育委員会に相談しに行きましたが、簡単には課題解決には至りません。議会対策も含めて、どうしたものかと悶々と考えていた時に、たまたま控室にいた、あるベテラン与党議員にそれまでの経緯を全て相談しました。

すると、私のメモを見ながら「これ全部下田君がまとめたのか？　これはやらんといかんな。ちょっと待ってなさい」と言われ、そのまま教育委員会に怒鳴り込まれました。その後、1年間かけて一気に予算がついて、私がまとめていた課題は全て解決されました。

この時のことを後からそのベテラン議員に聞いてみると、「新人議員が現場の声を聴いてここまでちゃんとまとめたものを、なんで君たちはやらないんだ？　生徒や学校からも要望出てるんだろ？　って教育長にゆーてやったよ」とのことで、このことがきっかけで、ことが進みました。また嬉しいことに、私だけではなくて、議会全員で議論や経緯を共有できることとなり、議会でありがちな、妬（ねた）み・嫉妬（しっと）を買うこともありませんでした。

議会では、当然それぞれの議員の背景となる政党・政治思想や支持者があります。しかし、**議員は、まちや国を良くしたい一心でわざわざ議員になっている人が大多数だと感じています。**それは、たとえ私のような野党議員であろうと、琴線に触れる政策さえ作ることができれば、政党も何でも突破できるものだという価値観を植え付けてくれた、大変貴重な経験を新人の時にさせていただきました。

この時の経験をもとに、**政党や思想がどうであろうが、とにかく地べたを這いずり回って1人でも多くの人と共感を育み巻き込んでいくことこそが、政治を1ミリでも進める原動力になると学ばせていただきました。**

〈龍馬プロジェクトへの入会と思い〉

私は民主党衆議院議員原口一博（はらぐちかずひろ）代議士の秘書として政治の道をスタートし、２００９年の政権交代までの道のりを間近で見させていただきつつ、私も同じ年に鳥栖市議会議員に初当選させていただき、議員生活が始まりました。

政治を一新するための期待を一身に受けての政権交代でしたが、事実上うまく機能できず、２０１1年3月11日には東日本大震災が起こりました。当時私は、鳥栖市議会定例会の開会中で、議員控室で茫然としながらテレビを見ていたことを鮮明に覚えています。

翌年の２０１２年に再び自民党政権に戻りました。ここまでの一連の政治の流れを見ていると、**国民の政治に対する怒りが、歓喜の政権交代へと流れましたが、その希望を打ち砕くように、更に不安・怒り・悲しみや、妬み・嫉妬が最高潮に達した結果、自民党政権へと戻ったという、近年最大の政治の激変期であったと思います。**

私は、ちょうどその流れの中、２０１１年の9月末に龍馬プロジェクトに入会しました。振り返ってこの時の政治状況や心境を考えてみても、私は冷静に「政治が危機的な状況」であると考えていましたし、政治とはこんなにも「えげつない」ものなのかと肌で感じた時でもあり、そんな危機感から龍馬プロジェクトに入会しました。

当時の政治を一言で言えば「政治の大義が見出せない」状況であったと思います。もしかすると数十年後には、この時期が大きな政治の転換期であったと捉えられるのかもしれません。また、**国民を**

守り日本という国を守るべき政治が、一体誰を守っているのかわからない状況になっており、着地点と未来図が見当たらない状況が今なお続いていると考えています。器量と忍耐力が無かった、勢いだけだった民主党。政権を死守したいが、保守を知らない保守自民党。その他、与党になる気がない野党。そして、そんな政治に振り回されつつ行政を遂行する官僚。こういった政治の構図の中で、頼るべき政治が見当たらず、国民の怒りが爆発を通り越して諦めさえ感じるまでに達しています。現に、2013年当時、政党で街頭演説をしていたら「民主党にダマされた」と叫ばれ、石を投げつけられたことがありましたが、その後無視されるようになりました。

ただ、政治をやる上では、今の政治システム上、どうしても政党はついて回ります。個人的には、どこの政党にいてもらっても構わないのですが、「国民・地域で生活する人」「個人と家庭」がしっかりと守られるという原点だけは守り抜かなければならず、更には日本という国の原点を、当たり前に守ることができる政治を行うべきであり、今のように複雑怪奇な小局を守るのではなく、大局に立って政治と国民がシンプルに直結する政治を再構築しなければならない局面に来ていると感じています。

だからこそ、**たとえ政権交代が起こってもブレない日本の軸を持っておくことは必要であり、そのための下地を、政党を越えて共有し創ることが必要**です。

そして、**政治家は、国民を教化することもこれからの時代に求められます。**そのための器量を磨くと共に、必ず現場に落ちている未来への原点を拾い上げなければなりません。地方議員こそがその「種」を見出す最前線におり、その代弁者でもあります。また、その「種」は、現場の声が強くなればなるほど、**政党も世代も全て超越する**ものです。私は、自分の存在価値を最大限に発揮しながら、龍馬プロジェクトの同志をはじめ、あらゆる人達と可能な限り連携を深め、未来に向けた原点を育むための活動を続けます。

YouTuber議員の作り方

綾瀬市議会議員　笠間（かさま）昇（のぼる）

〈私がYouTuber議員になったワケ〉

2011年4月。統一地方選挙において私は綾瀬市議会議員となりました。

地方議員になり、最初に感じた問題点は地方議員の情報発信能力の低さでした。当然と言えば当然なのですが、我々地方議員はメディアに取り上げられることは滅多に無く、たまにメディアに取り上げられたかと思えば、それはスキャンダルであったり、問題発言による炎上であったりします。号泣会見なんていうのもありましたね。メディアを賑わすのは何か問題を抱えた地方議員ばかり。

だからといって、メディアに取り上げられるために不祥事を起こすわけにもいかないし、どうにかならないかと随分考え込みました。情報誌や地方紙を利用した広報は費用がかかるし気軽にできない。もう、どうしたら良いのか……。気が付けば私は当時始めたパソコンで、情報収集という名目でネットの世界へ現実逃避（笑）。

そんな時に目に付いたのが政治系ＹｏｕＴｕｂｅｒのＫＡＺＵＹＡ氏の動画でした。テンポの良い語り口で政治を扱うＫＡＺＵＹＡ氏の動画には人を惹きつける魅力があり、毎日視聴していく中で私は無謀にも地方議員ＹｏｕＴｕｂｅｒとしてデビューすることを決意しました。**メディアが地方政治を取り上げないのならば、こちらからＹｏｕＴｕｂｅを使って情報を発信し、メディアの力を借りず、積極的に市民へアプローチをしていこうと考えたのです。**

〈動画配信は最高のメンタルトレーニング〉

この思い付きは良かったのですが、いざ始めてみると困難の連続。周りに動画編集や撮影のノウハウを持っている人もいないので、まさに手探り状態でのスタートでした。

まず、何も考えずにホームビデオで撮影をしましたが、パソコンで動画を加工しようとしたら、ホームビデオの動画データがパソコンでは加工できないという大きな壁が……。動画データの加工をするために動画データを変換するソフトを探す。次に編集するソフト選び。テロップや写真の差し込みなどをするためには、それなりに細かい設定をする必要があります。もうこれだけで、動画は止めようと思ってしまいますよね。

でも、安心してください。そんな苦労は過去の話。全てを解決するツールが誕生しました。スマートフォンです。正確にはアプリです。アプリを使えば、かなり簡単に動画の編集ができるようになりました。今は私も撮影から編集までｉＰｈｏｎｅかｉＰａｄで済ませています。お手軽簡単超便利。

ところが、こんなに苦労をして整えた動画作成環境の全てを覆すような問題が浮かび上がります。まるで、追い込んでも変形&パワーアップし反撃してくるゲームのラスボスみたいです。

問題の正体は自分でした。

ラスボスは情報発信者としての自分という衝撃。それは何故か？　いくら動画を加工できても自分の喋りがよくないと、興味を持ってもらえない。逆を言えば、魅力的な情報発信者であれば加工なんていらないという極論に到達し、危うく挫折し昇天するところでした。

しかし、私は「あきらめない」がキャッチフレーズ。折れそうな心を奮い立たせて動画の情報発信を続行。まずは自分を面白く見てもらうためにキャラクター作りから開始。最初の課題はカメラの前で自然に喋ること、これがなかなか難しい。撮影中に「えー」とか「うー」などの声が出てしまう。視聴者は変な声が気になって内容が頭に入ってこない。こればかりはアプリなどでも解決できないし、即効的な解決策は無く、経験値を積んでいくしかありません。

動画作りで経験値を積んでいく。これが本当に地道な作業で、ドラクエでいえば毎日毎日スライムをひたすら倒し続けるような作業です。チェックをするために自分の動画を見ているだけでも恥ずかしいのに、ダメな点がボロボロ出てくる出てくる。まるで羞恥プレイかのような、ちょっとしたメンタルトレーニングです（笑）。

〈動画配信で得たもの〉

しかし、ある時、自分の変化に気が付きました。人前で緊張せずに喋れることに。論争になった時に、頭の中が白くならずに反論できること。相手の話の要点を冷静に捉え、反論ができることに。これは自分の動画を見ることにより「話すことへの慣れ」「話の内容整理」「話の反証」を繰り返して得たスキルです。気が付けば、動画作成の反復作業は議員の資質を高めることにも繋がっていました。特に対話のスキルが向上。論争などでは格段に強くなりました。意外に思うかもしれませんが、けっこう議員は議会の中でも論争することがあるのです。しかし、多くの議員は論争の場でチグハグな言い分になりがち。ちょっと何言ってるのか分からない人ばかり。ですので、**動画撮影を通して得た「人に思いを伝えるスキル」で理路整然と正論を突き付ける私はかなり強い議員になりました。**でも、そうなると言論以外の攻撃が始まりますが……。それはまた違う機会でお話しします。

思わぬ副作用もありました。それは、動画を配信する議員は少ないので、国会議員も含め、議員間での認知も全国的に向上しそれが人脈となり、**全国的な活動を行い易くなるという効果**です。

応援演説もレベルアップ。候補者の訴えているポイントや問題意識はどこにあるのか等を捉え、候補者の考えや人となりをアピールするというのが応援演説。これは動画を作成するノウハウに通じるところがあります。演説会で大勢の前で話す時にも人前で話す擬似トレーニングをしているので、緊張しません。瞬間的に話を振られても対応できます。勿論、自分の演説も同様です。

変わったところでは、行政職員への業務連絡としても機能。私の考える問題は何かを示し、動画ならではの臨場感と雰囲気を使い、問題解決に向けた訴えをするのに役立っています。

また、先に述べたように視聴者に政治関係者が多いという特徴もあります。当初はなんとか近隣市の議員とコミュニケーションを取りたいと考えていたのですが、動画を切っ掛けに、**今では全国に政治関係者のネットワークが広がる**までになりました。

〈ネットを使ったコミュニケーション〉

さてここで動画配信のこれからについて「NHKから国民を守る党」を例に考察してみます。N国党の躍進はYouTubeにより支持者を集めた結果です。これにより、動画での情報発信に注目が益々集まるようになりました。YouTubeを使い選挙を戦うN国党の戦略は新しい政治活動の手法になります。今までの選挙戦では、支援団体や自身で作り上げた地元での繋がりで票を集めていました。しかし、彼らはそのような地方組織や地域の繋がり無しに、ほぼYouTubeだけで知名度を上げ、多くの地方議員を輩出し1つの国政政党を立ち上げることに成功しました。

この結果から分かるのは、ネットの読者や視聴者は事実上の後援会組織と見ることができるということです。そしてそのネット後援会の層は今まで政治に関心の薄かった層であり、投票率を上げて得票数を上乗せしたいという既存政党も欲しがる層です。そしてそれは政党だけでなく、全国の地方議員こそが必要とする層です。何故か?

選挙においてSNSなどのネットツール、特に動画配信は分かり易く使い勝手の良いリーフレットになります。集合住宅やマンションでは郵便受けにリーフレットを配ることが難しい。ですが、電波はそんな垣根を軽く飛び越え有権者に届くツールです。オートロックや管理人も関係ありません。そして、何よりも人手が少なくて済む。ネットでの拡散は街を歩いてポスティングする必要がありません。ＳＮＳによる選挙活動は特に大都市において威力が倍増します。１つ条件があるとすれば、普段から地道に活動し情報発信をしている必要があります。選挙の時だけに作るＳＮＳでは有権者の信頼は得られません。それは皆さんにも感覚的に理解していただけると思います。

人に思いを伝えることの大切さ。私は動画やＳＮＳで思いを伝えようと、８年間動画をメインに情報を発信してきました。少しずつではありますが効果は出ています。その証明となるかは分かりませんが、私は８年間コツコツと情報発信を続けて、綾瀬市議会議員選挙で２期目、３期目において連続でトップ当選を果たしています。人口８万３０００人の小さな街なので、ネット選挙だけでのトップ当選ではないと考えられますが、確実に「ネット層の票の一押し」はあったと確信できる結果です。

これからは益々ネットを使った情報の配信、特に動画での配信が注目を浴び新たな政治活動のツールとして認知されてくるでしょう。

〈時代に合ったツール選びを〉

政治家並びに政治家を志す皆さんには、動画を配信して世の中に自分の考えを示すことをお勧めします。それは選挙対策だけで言うのではありません。有権者が議員を身近に感じることにより、政治について考える切っ掛けになるからです。

人に思いを伝え、広く賛同を得ることにより議員は誕生します。しかし、国民が政治について考えることは、それよりも大事です。**思いを伝えるツールは時代によって変わっていきます。**かつては、新聞が情報伝達のメインツールでしたが、テレビが取って代わりました。そして、今、5G等の通信技術が発展しつつあり、情報伝達のメインツールはテレビからネットへ、特に動画配信へと移り変わろうとしています。このビッグウェーブに乗らない手はありません。

私は今後もYouTubeを自身の思いを伝えるためのメインツールとして使い、市民に思いを伝えながら自身の議員としての資質も高めて、国民の皆さんに政治を考えてもらい、より良い世の中を作り出せるように走り続けようと思います。

第6部　知ってもらいたい地域の現実と課題

地方創生の為にやるべきこと

徳島県議会議員　井下（いのした）　泰憲（ひろのり）

四国からの執筆者は私1人ということで、この地域の最重要課題と言っても過言ではない【過疎化】について現状と問題点、これからどのように対策していくべきかについてまとめます。

〈地域にみる過疎化の現状〉

まずどれほど人口減少が深刻か。2015年国勢調査では四国4県で人口384万5534人であったのが2019年では372万1187人と、わずか4年間で12万4347人の減少となっており、減少率も全国3位高知県、8位徳島県、12位愛媛県、27位香川県と、全国平均を大きく上回るペースで四国から人がいなくなっています。

私の生まれた徳島県三好市東祖谷（旧三好郡東祖谷山村）は岐阜県白川郷、宮崎県椎葉村と並んで日本3大秘境に認定され、日本の桃源郷、日本原風景と謳われ、外国人観光客がここ10年間で40倍に増加している地域であり、日本全体のインバウンド需要を考えると、まだまだこれから可能性のある地域です。しかし、少子高齢化・過疎化の傾向は著しく旧東祖谷山村地域では44ある集落の内、22は限界集落、19は準限界集落に認定され、2040年には3つの集落だけが残ると言われている状況です。

実際に集落の人が減り、高齢化が進むと今、地域で様々な問題が起こっています。まず長年続けてきた集落のお祭りができなくなっており、数十年前までお神輿や山車があった集落も担ぎ手がいなくなるとお神輿や山車が使われることはなくなりました。また比較的大きな集落でも担ぎ手をアルバイトで雇うなど最近では外国人がお神輿を担ぐ姿を見かけることもあります。

次に獣による被害が増えており、猿・猪・鹿による農村地域での被害は深刻で、特産品や植林への被害が進み地域産業への影響も深刻化しています。

また地域の生活インフラが維持できなくなっており、生活道路周辺の草刈りや修繕などをできる人がいなくなり安全な生活道路の維持が難しくなるほか、飲料水の確保において山間部では未だ水道がなく山から水を引いて生活用水を確保している世帯があり、このような世帯では大雨の後の水源地の掃除や冬になると凍結対策をするなど世帯によってはこれを数キロも離れた山中の水源地まで足を運んで対応しなければいけませんが、高齢化が進むとこの作業が難しくなり、そうなれば住み慣れた家を離れざるを得ないケースが出てきています。

そして公共交通の維持が困難になっており、採算の取れない路線バスの本数が減ると買い物難民や病院への通院、学校への通学手段がなくなります。だから高齢化による免許返納などを考える余地などないのです。

〈国の政策は機能しているのか〉

私は2019年4月に徳島県議会議員選挙に初当選し、議員経験はまだ1年未満ですが、地域のリアルな現状と現在取り組まれている人口減少対策、過疎対策との間にミスマッチを感じています。

2014年に発売された元総務大臣増田寛也氏の『地方消滅』は2040年までに896の地域が消滅するという内容で世間に大きな衝撃を与えました。時を同じくして2014年に政府は「まち・ひと・しごと創生本部」を立ち上げ、「地方創生」という言葉とともに本格的に地方の再興に向けて華々しく乗り出したように思えたのですが、それから6年「地方創生」はどうなっているのでしょうか。

当初地方への回帰が叫ばれていた地方分権の延長線上に「地方創生」はあるものと誰もが考えていました。しかし**「地方創生」はいわゆる地方分権とは真逆の考え方で、簡単に言うと「頑張っている地域には予算をあげる」と国が地方に言っているのが「地方創生」であり、地方に財源と権限を与える地方分権（国＝地方自治体）ではなく、地方創生は（国＞地方自治体）の様相**だったのです。

よく考えてみれば国と地方の関係はいつの時代も関係（国＞地方自治体）は変わりません。2005年頃に全国で行われた自治体の再編統合、いわゆる平成の大合併では、合併特例債というニンジンを目の前にぶら下げられて多くの自治体はそれに飛びつき2000年に3229あった市町村は2010年には1727にまで減少しました。しかし、**現状をみると大合併は地方の衰退に拍車をかけたといっても過言ではないのです。**

実際に合併には「合併した側」と「合併された側」が存在します。分かりやすくいうと多くの中山間地域は合併された側であり、山村地域の雇用を担っていた役所機能が都市部の合併した側へ一元化されると、山村地域の生活、経済、子育ての中核を担っていた公務員をはじめ多くの現役世代が挙（こぞ）って都市部へ移動し、それにより山村地域の経済は一気に冷え込み、子育て世代の公務員の中には勤務地の都合から転居やそれに伴った子供の転校も多くみられました。ちなみに学校の生徒数の減少というのは雪だるま式に大きくなります。いったん転がり出すと止まらず、クラス編成が少数学級や複式学級となったり、また団体スポーツの部活動ができなくなったりします。そうなれば親心としては「同級生の多い学校へ行かしたい」と思うのは仕方ないことです。

この他にも挙げればきりがないほど平成の大合併による弊害はありました。

〈全国一律横並びからの脱却〉

今日、「地方創生」もまた同じような一途を辿っているように感じています。そもそも「地方創生」とは人口減少と超高齢社会に対応すべく東京の一極集中の是正を中心とした地方再生こそが「地方創生」の原点であり、政府のホームページには「地方にしごとをつくり、安心して働けるようにする」「地方への新しいひとの流れをつくる」「若い世代の結婚・出産・子育ての希望をかなえる」「時代に合った地域をつくり、安心なくらしを守るとともに、地域と地域を連携する」という4本の基本目標に向けた政策を進めていくこととあります。

しかしこの全国に投げられた球は、これまで全国一律横並びを求められ地域の個性を尊重してくれなかった地方にとって、今更そう簡単にキャッチできるものではありません。

仕事をとってみても、これまで国からの交付税や公共事業費ありきで産業構造を構築してきた地方にとって、そこから抜け出し仕事を創造していくなど容易なことではありません。また医療や福祉、教育など生活をする上で欠かせないものをどれか1つとってみて、地方の方が充実しているといえる地域が日本に現在どれほどあるのでしょうか。

そんな中で「地方創生」は「地域にしごとをつくろう」「個性ある地域をつくろう」と言っています。ではどうするべきなのでしょうか？

冒頭でも話しましたが、私の地元ではインバウンドによる外国人観光客数が急激に増加しています。**定住人口が1人減るのと外国人観光客が8人来るのとは、同じ地域への経済効果があるといわれています。**つまり5000人の人口減は年間4万人の観光客誘致ができれば同じ経済効果があり、今更人口を増やす政策に労力と時間、お金を使うよりは観光政策へ思い切って舵を切る方が賢明なのです。そこからインバウンドを利用して、例えばフランスとの繋がりが強い地域として観光交流、文化交流、経済交流地域を確立し「○○地域はフランスに強い」となれば、フランス語を勉強したい人、フランス相手に仕事がしたい人など、ターゲットを絞った政策作りができます。

また、日本では今、日本の義務教育課程を捨てても海外の教育を受けさせたいと移住や留学する子供が年々増加しています。これは比較的裕福な家庭でないとできないことですが、そういった日本にはない教育を受けさせたいと思う親はどこにでもいるので、それが国内でできれば、そういった教育を移住してでもわざわざ受けさせようとする人は必ずいます。しかしその為には国の全国一律横並びの基準から抜け出す必要があり、これらの政策を実現していくことは容易ではありません。

〈「地方創生」の為にやるべきこと〉

私は幼い頃の経験から、先人から受け継がれてきた故郷を次の世代へ責任を持って受け継がせていきたいという想いから政治家になりました。

私が「地方創生」の為にやるべきことは、まず地域の人たちと地域の課題・危機感を共有することと、地域の未来の姿を共有すること、そしてその中から可能性を見つけ出し、先にも挙げた観光などでしっかりとした産業を作り、その裾野を各分野に広げていくことです。次に地域のコンパクト化の実現です。その為にはこれまで政治家が言えなかった地域の人たちへのお願いと理解を得ないといけません。それは時に効率性を取ることで人情味に欠ける判断になることもあるかもしれません。また地域の個性を活かす為には国から嫌われる覚悟も必要です。だからその時の為に民間企業や教育研究機関との繋がりを今から私は作っています。ビジョンを共有した政策を実現する以上はその根拠が必要だからです。

これらは年中、地域のお祭りやイベント、挨拶回りばかりの選挙に強い人ではなく、しっかりと志を持ち地域の未来に責任を持って嫌われることを恐れず挑戦していく人でなければ、この国難級の少子高齢化・過疎化には対抗できません。私は大切な故郷の為に人生をかけて挑戦していく覚悟です。

都政の闇と改革への意思

東京都議会議員　村松（むらまつ）一希（かずき）

〈東京都の利権にメスを〉

２０１６年7月31日東京都知事選挙において小池都政は誕生しました。自民党推薦候補（増田寛也氏）、民進党など推薦候補（鳥越俊太郎氏）を含む21人が立候補する、都知事選挙では歴代最多立候補者数となった選挙です。

私は２０１０年3月頃から、縁があって当時衆議院議員であった小池百合子氏の運転手を手伝うことになりました。平日は家業の徽章販売業をしており、土日祝日は休みであったため、休みを利用し小池氏の運転手をボランティアで手伝っていたのです。その翌年の統一地方選挙において、地元練馬区の区議会議員選挙に出ないかと小池氏にオファーを頂き挑戦し、1期目の当選を果たすことが出来ました。

区議会議員2期目途中の２０１６年6月29日小池氏が都知事選挙立候補を表明しました。当然自民党推薦になると思っていましたが、7月12日自民党、公明党は増田寛也氏を推薦することを発表。7月14日告示日、当時私は自民党所属の議員でありましたが、恩ある小池氏の応援をすることにしまし

平成二十八年九月十六日

練馬区議会議員
村松一希　殿

自由民主党東京都支部連合会

党紀委員会の決定について

貴殿を、都連規約第三十三条において、党則第九十二条に該当すると認め、都連賞罰規定第五条に基づき、九月十六日付を以って、「離党勧告処分」とする。
この勧告の期限は平成二十八年十月三十日とする。
貴殿が期限内に「離党届」を提出されない場合は、同日付を以って「除名処分」とする。

〔理　由〕
貴殿は、今般の東京都知事選挙において、わが党の推薦候補が決定しているにもかかわらず、対立候補を公然と応援した。
この行為は「党推薦候補者を不利におとしいれる行為」（都連賞罰規定第五条）に該当する明確な反党行為であり、除名処分相当と認め、「離党勧告処分」に決定した。

自民党を除名処分に

た。当時の自民党東京都連の雰囲気はというと、所属議員は当然増田氏を応援し、他の候補を応援した場合、除名など厳しい処分を検討するという内容の文書が送られてくるほどでありました。しかし選挙の現場では隠れてではありましたが、多数の自民党所属の市区町村議員が小池氏の応援に来てくれました。表に立った区議会議員が私を含めて7名おり「7人の侍」などと報道され、のちに自民党を除名処分となります。

報道された応援著名人としては笹川堯（ささがわたかし）氏（元自民党総務会長、ご子息も自民党所属衆議院議員）、若狭勝（わかさまさる）氏（自民党所属衆議院議員）、野口健（のぐちけん）氏（アルピニスト）などです。ちなみに小池氏はもちろん、若狭勝氏、笹川堯氏も自民党から処分はありませんでした。処分になった我々も当時自民党の幹事長であった二階俊博（にかいとしひろ）氏から処分しない旨を内々に頂いていたことや、若狭勝氏が小池氏の地盤を継いで自民党公認候補になったことから党本部決定と自民党東京都連決定に差があり、自民党の組織も一枚岩ではないことが分かりました。
　自民党を除名になった私を含む７名は小池氏が旗を振る「都民ファーストの会」という地域政党を作ることになりました。２０１７年７月に行われる都議会議員選挙に向けて候補者や支援者を育成するため「希望の塾」を立ち上げ、運営などに携わりました。希望の塾立ち上げ当初は、自分自身が都議会議員選挙に立候補することは決まっておりませんでした。７人の侍の中から都議会議員選挙の候補者を選ぶのは既定路線のように思われていますが、当時区議会議員という立場から、辞職して都議会議員選挙に立候補するというのは大きな決断です。都知事選挙で小池氏が圧勝したからといって、都議会議員選挙で自分が勝てる保証などありませんでした。自分自身の葛藤もありましたが、ここまで来たら知事を支えるつもりで立候補する決意をしました。
　結果私は都議に当選し、現在１期目半ばです。小池氏は都民ファーストの会の特別顧問という役職であり、都民ファーストの会東京都議団は１２７定数の都議会のうち50議席を有する最大会派です。議員の未経験者も多く、利権と縁遠いことから、小池知事とタッグを組んで東京都の利権にメスを入れることが出来る立場に立てました。

〈東京都水道局の外郭団体の不正〉

　東京都では、都が出資していたり、都派遣職員の受け入れがあったり、都の事業とかかわりの深い団体を政策連携団体として33、政策連携団体よりは関係性が薄い団体を事業協力団体として32を指定しています。いわゆる外郭団体のようなものです。水道局関係ではＴＳＳ㈱（東京水道サービス株式会社）と㈱ＰＵＣの２社が政策連携団体で、その他２社の事業協力団体があります。そのうちＴＳＳ㈱で不正があるという投書が東京都の目安箱にありました。

その内容は以下の４点でした。

①関係団体や受注工事会社との不適切な関係

②書類の改ざん

③虚偽報告書の作成指示

④一般都民が依頼する水道工事に対する詐欺的な請求を助長するようなこと

東京都は特別監察を行い④以外は事実であることが確認されました。

①に関しては受注工事会社との定期的な懇親会を行ったり、職員として一定数雇用していたりしていました。そもそも水道局が発注する工事業者を数社決めていたので、癒着を疑われても仕方ない状況でした　②は資材置き場の点検作業に行ったことにして、実際には行ってなかったことが分かりました。③は工事完了の写真を改ざんしていました。当該工事がやり直しになり工期が長くなることや事務が面倒だったのか、ＴＳＳ㈱職員が工事業者に改ざんを指示したとのことでした。

なぜこんなに不祥事が多いのか？　根本的な原因を追及し改善しなければ同じことの繰り返しになってしまいます。

〈都の外郭団体における大きな課題〉

外郭団体と聞いてどんな印象を持たれるでしょう。私は単純に職員の天下り先だと思ってしまいます。実際前述のＴＳＳ㈱は管理職全員が元東京都の職員でした。２０１９年から社長が交代し、いわゆる天下りの職員ではなくなりましたが、それまでは歴代の水道局長が務めるポストでありました。そのほか都で部長級だった職員はＴＳＳ㈱では理事、課長は部長といった具合で、給与は減るものの、給与表もＴＳＳ㈱プロパ職員と別の表があるほどです。いわゆる都の外郭団体である政策連携団体と事業協力団体を合わせると65ありますが、役員でこれほど元職員比率が高いところは少ないのです。いずれにしても元職員が多く働いています。**国では２００８年から国家公務員の再就職に関する規制が始まり、国と利害関係のある企業への就職は規制されていますが、東京都ではいまだに可能です。**もちろん東京都においても利害関係企業への求職活動を規制する退職管理条例がありますが、適材推薦団体という除外規定を作り、合法的にあっせんしています。この適材推薦団体の数がなんと１２５団体もあります。合法的な天下り先といえます。

〈天下りがなぜいけないのか〉

必ずしも天下りがいけないとは言い切れません。優秀な職員がその知見を活かして、都の事業に貢献している企業で働いて頂くことは都民の利益につながることです。しかし多くの場合弊害があります。

①都が発注する企業や団体で、都が指導監督する立場にある場合、元上司がその企業や団体の担当者でいると、指導監督できない。

②元上司が在籍していたり、自分も退職後お世話になると思われる天下り企業や団体を優遇していたりする。例えば入札案件だとしてもその企業や団体が有利になる入札案件にする。または事業を運営する能力がなく、再委託することが分かっていながら契約する。実際そう思われる契約案件が見受けられます。

この2点は大きな弊害です。今後、適材推薦団体の見直しを求めていくわけですが、これには大きな抵抗が予想されます。この見直しには知事と議会の同意が必要ですが、どちらも職員との関係は大事にしたいわけです。そうしなければ多くの事業は進まないからです。しかし当然、東京都の幹部職員は抵抗するでしょう。もし適材推薦団体を無くすということを言い始めたら全面戦争になります。こうした大きな改革をするためには仲間作りが必要と考えています。いろいろな利害関係がある議員や知事をまとめることは一筋縄ではいかないのは当然です。しかし今しかできない改革です。それは小池知事と私を含め最大会派である都民ファーストの会が、利権の縛りなく未来の東京や日本のために考えられるからです。

〈都政の闇と改革への意思〉

ここに書けるのはほんの一部ですが、都政には大きな闇が存在しているように感じます。天下り構造、業界団体との癒着、外郭団体と政党との関係など。スウェーデンやギリシャの国家予算を超える予算を有する巨大な組織、それぞれの思惑で積み上げられてきた歴史のある複雑な構造、こうしたことを背景に、自然と外からは分からない闇が作られたのだと思います。この闇の中には議員の利権も存在します。ドンと呼ばれる議員が生まれるのもこうした構造からだと分かりました。小池知事は選挙の時、誰がいつ決めたのか分からない都政の政策決定プロセスをブラックボックスと表現しました。改善をしていこうと情報公開を進めていますが、まだまだ改善は必要だと考えています。

今回は東京都の改革のほんの一部を紹介しましたが、こうした改革も自分１人では進めることはできません。他の自治体議員からの情報や、何より熱をもらって政治活動をしています。そんな熱をくれるのが龍馬プロジェクトのメンバーです。未来の日本に必要なことは何か、また世界から見た日本に必要なことは何かという軸を決めて、地方自治を考える基礎を学び、同じ志の仲間とそれぞれの自治体の改革、活性化に取り組んでいくことで日本が良くなっていくと考えています。その一端を担っていると思うとまた頑張れます。

水槽を眺めるように地域を見つめる

志摩市議会議員　橋爪（はしづめ）　政吉（まさよし）

〈「絶望」を「希望」へ〉

古く平安時代から朝廷や神宮に海産物を献上する御食国（みけつくに）であったとされる志摩は漁業によって成り立ってきた地域で、今も伝統の海女漁が続けられています。毎年多くの参拝客が訪れる伊勢神宮に近い立地条件もあり、現在の主産業のひとつは観光業であるが、その基盤を成す豊富な食材や美しい景観なども海の恩恵によるものです。志摩の人々の暮らしは常に自然の恵みとともにあります。

志摩市は2004年に旧志摩郡の5つの町が合併して誕生しました。それから16年が経過するうちには、式年遷宮や伊勢志摩サミット開催など全国的な注目を集める機会も多くありましたが、地域の現状を問われれば、残念ながら閉塞感に満ちたものだと言わざるを得ません。それは何故か。合併後16年が経った今も行政機関や公的団体の多くで旧来の町の枠組みに囚われた状態が続き、地区同士の対立や、不平等が解消されていないからです。旧5町が合併することによって明るい未来が拓かれると信じてきた住民たちは、いつしか期待することをやめてしまったのか、この状況はもはや「絶望」と呼べるほどのものだと私は考えます。我々責任世代の使命は、この「絶望」を「希望」へと転換することにあると考えます。

〈地域に求められるリーダーシップ〉

海で生きる人々は個性的です。彼らにとってより良い漁場を獲得し維持することは自分と家族の生活に直結する重要な問題であり、周囲は皆ライバルであるともいえます。例えば志摩の特産品として有名な真珠、この真珠養殖において最も大切な工程はアコヤガイの核入れ作業です。核入れとは生きた母貝に真珠の元となる貝殻を丸く削った物体を挿入する、いわば外科手術で、真珠の出来はこの核入れ技術の精度によって決まるといえます。核入れに使われるメスなどの道具は、真珠養殖業者たちが使いやすいように自分で改良した完全オリジナル品で、もちろん道具の扱い方も門外不出の奥義とされ、同業者には決して明かされていません。それが海の厳しさと向き合いながら生きるために必要なルールなのです。漁業を中心としたこの地域の発展は、人々が互いにライバル意識を持ち競い合うことによって成されてきたので、元来こうしたクローズドな気質を持つ志摩の人々から、いわゆる「おらが村」意識を無くすことは難しいかもしれないと考えます。**だからこそ地域の各分野のリーダーにはまち全体を見つめる俯瞰的視点と、地域課題の優先度を緻密に計算し采配する高いマネジメント能力が求められます。**

こうしたリーダーシップが最も問われるのは地域防災の分野と言えます。遠州灘に突き出た志摩半島は近い将来の発生が危惧されている南海トラフ地震で、甚大な被害を受けると想定されている地域のひとつで、地域住民や観光客の生命を守るための災害への備えと発災時の迅速な対応は、このまちの最重要課題です。そこで私は旧町の枠組みが色濃く残っているからこそできることがあると考えます。根強い「おらが村」意識の利点は、**身近な人の顔がよく見えていること、地域コミュニティの結束が固いことにあります。都会では消えつつある、ご近所付き合いやお裾分けの文化も志摩では今も健在です。**こうした濃密な人と人との繋がりを活用すれば、災害が起こる前に行政職員や地域の防災リーダーが足で歩いて実態を調査しておくことや、住民が不安に感じている点を聞き取ることができると考えます。そこで、市役所の支所機能をより充実させることも必要で、そこに暮らす人たちの顔を思い浮かべることができなければ、本気で人の命を守ることなどできるはずがありません。日頃から丁寧な情報収集が行われていれば、発災時にはリーダーが迅速かつ的確な判断ができると考えます。

また、観光分野においてもリーダーシップの重要性は大きいといえます。近年の観光トレンドであるコト消費やサステナビリティの観点から、この地域でも漁師や海女などの第1次産業の担い手たちと観光業とを繋ごうとする風潮が高まっていますが、当事者たちの考え方には大きな隔たりがあるのが現状です。歴史に裏付けされた「本物」に触れることを希望する文化意識の高い観光客が増える中、当然ながら観光事業者は彼らのリクエストに最大限応えようとする一方で、自然の厳しさに対峙している「本物」の海の生産者にとって、漁業の現場は生活の基盤であり、一刻一刻が正に命懸けの真剣勝負で、観光客への気配りなどしていられません。ただし**生産者たちも海の環境悪化や後継者不足に苦しんでおり、従来のやり方のままでは生き残っていけないことを自覚し始めています。**観光業と漁業の現場を繋ぐことは、このまちの第1次産業を絶やさないための重要な視点のひとつであり、漁業の現場を尊重しながら海女や真珠養殖の文化的価値を守ろうと考える観光事業者も増えてきました。

物語性のある観光コンテンツは海外の富裕層への訴求力も高く、この手法は地域振興を考える上で実に頼もしい追い風になります。また地域の漁業を再生するために高齢の漁師に弟子入りして漁師になった地元の若者や、祖母から受け継ぎ3世代にわたって海女となった若い女性、時間をかけて地域コミュニティの信頼を得て海女漁を始める移住者なども増えつつあります。新しい時代にふさわしい、新しい観光と漁業の在り方に向かう道筋を、若い世代が指し示しているようにも感じられるこうした動きは、現状ではまだ局地的な点と点でしかありませんが、観光事業者と漁業者が話し合い歩み寄る際の橋渡しをするリーダー的存在がいれば、これらの点を繋いで立体的な仕組みに変えていくことができると考えます。

〈人々の人間力を高める〉

つまり志摩市の課題は「コミュニケーション不足」に集約されるといえます。コミュニケーションには縦軸と横軸があり、縦軸は時間であり、世代と世代を繋ぐ軸で、横軸は空間であり、地域と地域を繋ぐと考えます。さまざまな世代、さまざまな地域の間で豊かなコミュニケーションの糸が縦横無尽に張り巡らされていれば、志摩市はもっと強くなれるはずです。立場の異なる人々の心に寄り添い、語り合い、人と人とを繋ぐことができる人間力を持った人材がまちに増えれば、きっと彼らが志摩市の未来を明るく照らすはずです。

地域に活力をもたらすものは、その地に暮らす人々の人間力に他なりません。そこで重要な位置付けとなるのは、やはり教育です。子供たちに食育を行うことや自然と共生してきた地域の歴史、産業の成り立ちなどを伝えることは大人の大切な務めであり、このまちの子供たちに身に付けてほしいものは**地域の魅力や価値を理解し第三者に伝えられる能力**です。私はこれを地域力と呼んでいます。地域力は心の豊かさを生み、地域力を身に付けた子供たちを育むことは地域をより輝かせるための、遠いように見えて最も近い道のりであります。幸い志摩市は観光地であり、子供たちが地域力を発揮し成功体験を味わう機会には恵まれています。志摩の子供たち1人ひとりが楽しみながら地域の魅力を知り、必ず来る未来にそれを熟知したエキスパートとなってほしいです。そして地域力を身に付け心豊かに成長した青年たちは、いずれ地域の外側からの視点を知るはずです。外側からふるさとを振り返れば、このまちのポテンシャルを一層強く感じるはずだと私は信じています。

〈水槽を眺めるように地域を見つめる〉

私が龍馬プロジェクトで学んだことは数えきれないほど多いですが、**最大のポイントは地域の外側で何が起こっているかを知り、外側から志摩市を見つめる視点を得たことです。**日本の各地で魅力的な若手リーダーたちが独創性に富んだ政策を展開しています。メンバーに共通しているものは、この日本をより良い国にしていくという強い信念でありました。**まず地方が豊かにならなければ国も豊かになりません。国家の政策ビジョンが素晴らしいものになるためには、地方の政策ビジョンが常に目的を達成し続けて行く必要があります。**同時に、志摩市のような小さな地域だけで地域課題を解決していくことの困難さを感じ、地域間連携の重要性にも気付かされました。龍馬プロジェクトという団体に属したことによって、井の中の蛙であった私は多くの刺激を得て、わくわくした気持ちで地域にそれを持ち帰っています。

地域はひとつの水槽のようなものと考えます。地域変革を目指すリーダーは常に冷静な目で水槽を上下左右、様々な角度から眺めながら、時にはその水槽に飛び込み1匹の魚となって泳いでみなければなりません。物事の本質をまっすぐ見つめること、人々の心を感じ取ること、失敗を恐れず大胆に行動すること、これらは地方政治を預かる我々責任世代としての責務であります。水槽の中で状況を知り、あらためて水槽の外に出て水を入れ替え、水草を植え、さまざまな環境を整えてこそ健全で美しい水槽となり、そこには心豊かで多様な魚たちが生活できると考えます。今、志摩市という大きなひとつの水槽は、水を入れ替えるべき時にきているのかもしれません。

地方が強くなれば、必ず、日本を再生できると確信しています。

教育が明日の地域を作る

磐田市議会議員　草地（くさち）博昭（ひろあき）

〈市民活動から政治の道へ〉

私は、Jリーグチーム、ジュビロ磐田のホームタウンである磐田市の市議会議員をしています。現在2期目の7年目、初当選は31歳、身内に政治家は1人もいません。政治というよりも商売人の家系で、松下幸之助イズムをもった「あなたの街の電器屋さん」の長男として、父親が家庭や地域の困りごとを解決する姿を見て育ちました。

議員になる背景の話を少しだけ。中学校卒業後に離れた静岡県磐田市に戻ってきたのは、中学を卒業して以来9年経ち、5市町村の合併を終え、旧磐田市8万人から17万人の市になった直後です。仕事として取り組んだことは、地元のＮＰＯ法人格を持った体育協会の事務局で、野球連盟やサッカー協会など、競技団体やスポーツ少年団の振興や、ジュビロ磐田メモリアルマラソンなどのスポーツイベントの運営でした。ＮＰＯ法人の体育協会は全国的に見れば珍しいかもしれませんが、静岡県内では比較的多く、市民活動の中間支援もできたことは貴重な経験となっています。そしてプライベートでは、若者だけの市民活動団体で、雪の降らない磐田市に雪を長野県からダンプで運んでもらい、子供たちに遊んでもらうイベントなどを通じて、若者によるまち作りを広げてきました。仕事でもプライベートでも、市民活動を通じてまちを学び感じてきたことは、私が政治の世界に入るきっかけとなりました。

市議会議員の任期は1期、4年間しかありません。365×4、閏年を入れても1461日です。最初の選挙は、「20年先を見て、今から元気な磐田を作る」をキャッチコピーに、10歳の小学生が10年経ったら20歳、20年経ってもまだ30歳、世界へ誇りを持って羽ばたける人材や、地域のために活躍できる人材を育成したい、そのため「職業教育」、「郷土教育」の充実を図ることを公約に掲げて議員となりました。すでに当選後２２００日過ぎてしまいましたが、自分の公約に対し、どのように向き合ってきたか、足跡とこれからをお伝えします。

〈教育が明日の地域を作る〉

15年前、中学を卒業して以来ひさしぶりに地元に帰ってきて驚いたのは、同級生たちが半分くらいしか地元に残っていないことでした。もちろん働く場所がなければ地元には残れないわけですが、これでは地元が過疎化とは言わないまでも、若者が減り少子化となり、持続できなくなるのではと危機感を感じました。共にボランティアをする仲間たちに聞いてみると、子供の頃、地元でどんな仕事があるのか考えたこともなかったし、そもそも地元への愛着を持つ機会がなかったといった声を聴きました。確かに私の記憶でも、地元で働く人のことや、地域の歴史を学校で学ぶ機会はあまりなかったように感じています。

地元でも、生き生きと働き生活している大人はたくさんいます。しかし「職業」や「仕事」について、私の住む地域は製造業が中心ですし、自営で働く方も減っていることから、子供たちは、親や大人の働く姿を見られず、働くことのイメージや目標も持てないまま、大人に成長してしまっているんではないか。小学生の頃の夢が実現できないかもしれないという現実を見たとき、目標を見失っていないか、そんな危機感を持ちました。

議員になってから、もちろん議会でも教育委員会へ提案をしたり、学校へ行って先生方に職業教育を取り扱ってくれるようお願いをしたりしてきました。磐田市ではコミュニティスクール制度を採用しているため、地域と学校をつなぐ職員がいるのは救いですが、職業教育は先生が教えるには限界があります。そこで、私自身が想いをもって活動している市民や市民活動団体とつながり、支援の活動をするようにしました。ともに動く中でNPO法人を設立し、学校現場で活躍している方もいますし、また私も別の市民活動団体に講師登録し、子供たちへ職業講話をすることも年に数回行っています。学校の先生たちからは、「職業教育をするといつも授業では退屈そうに聞いている子供たちも、目の色を変えて聞いている。こんな子供の姿は初めて見た」という評価をいただきます。子供たちは、身近な大人、地域に住む大人の生き生きした姿を無意識に探しています。**地域で当たり前に暮らしている大人がモデルとなり、子供たちに大人のかっこいい背中を見せてあげることで、自分の地元でも生き生きと生きていけるんだということを示すことが、地方創生の本当に大切な根っこの部分だと思っています。**私はそういう市民活動をする方とご縁をいただき、教育委員会や想いのある市民とつなげることが議員としての1つの役割だと思っています。この活動はこれからも更に広げ、続けていきたいと思います。

それからもう1つの「郷土教育」についてです。産まれた郷土の歴史、世界に誇れる日本の伝統を学ぶ機会が学校では多くありません。「歴史」と聴くと年号や人名などたくさん暗記することが災いして、アレルギーがある方も多いと思います。郷土の歴史と日本の伝統や歴史をリンクさせながら、自分の住んでいる地域は、どんな先人たちの想いをつないで今存在するのか、自分の地元に誇りと愛着が持てるよう、郷土教育にも力を入れたいとの想いを持ってきました。

しかし想いのある一方、この部分はなかなか実現していません。なぜかといえば、これも職業教育と同じで、地域を教えることは学校の先生だけではできないからです。郷土教育も、市民活動として学校現場に入っていき、教えるしかないと思います。しかしながら、職業教育と違い、教える側の市民が団体として活動できるところまで、まだ到達していないのが目下私の課題となっています。

一方、地元に誇りと愛着を持つ教育としての本市の特色を紹介すると、スポーツの街として、ジュビロ磐田のホームゲーム一斉観戦を小学校５、６年生の約３０００人全員を対象に実施していることは、郷土教育の一環として、いずれ地元に誇りと愛着を持ってくれるものと楽しみにしています。いずれにしても行政だけでできる取り組みではありませんので、地域の皆さんにご理解いただけるよう、じっくりと取り組んでいきます。

〈子供たちの抱える深刻な課題〉

最後に、今私が向き合っている、子供たちを取り巻く課題についてですが、**議員になってから日々入る、学校現場、先生、子供たちからの声は、私が想像していたよりも大きく深刻**なものがあります。

たとえばキーワードを挙げるだけでも、貧困家庭、格差の拡大、児童虐待、外国人児童、不登校、発達障害、いじめ……、現場から届く声に対し、どうしたら解決するのか、もちろん国も市の教育委員会も、現場の先生や親たちも無策ではありませんから、日々政策と現場の意識を比較しながら、効果的な方法を模索しています。

こんな例もあります。中学校の先生から、「不登校の生徒たちの卒業後が心配です。卒業後の生徒を見守ることは中学校ではできません。この子たちのケアはこれから誰がするのか。そのまま引きこもって、家族全体が孤立していないか、卒業後もケアできる仕組みを作れないものか」と相談を受けたことは、その後の不登校、引きこもり対策のきっかけとなりました。中学を卒業するまで、学校や教育委員会に守られている不登校の子や家族は、卒業後には全く支援の手がなく、孤立してしまいます。そうした中、他市の「子ども若者相談センター」や不登校ひきこもり支援を学び提案を続ける中で、本市でも本年度から「子ども若者相談センター」が設置されました。不登校児童の情報がセンターへも提供され、卒業後もケアできる仕組みができたことは、自分の中で大きな成果です。また今、私はひきこもり支援を行うNPO法人の若者就労支援ボランティアに登録し、伴走支援も行っています。ひきこもりだった若者が正社員として働けるようになったことは議員としてというより、人としてやりがいを感じる瞬間となり、ひきこもり支援全般のヒントも得ました。

〈目の前の成果だけを追いかけない〉

政治家の評価、とりわけ子供たちの教育の効果というのは、今すぐに出るはずがないことは十分に理解し行動しなくてはなりません。有権者の中には、「私たち高齢者世代のことをまずは考えてほしい」という声も聴きます。しかし私は未来の地域を持続可能なものにするために議員になっていますので、丁寧に説明をし、理解をしてもらうようにしています。それから地方議員だからと言って地元にばかりいることは、面白くないし、刺激が足りません。私は、「龍馬プロジェクト」の活動を通じ、**成果が目に見えないからといって腐らず、自分自身もおもしろおかしく生きていくこと、そして仲間を作り、政策のアウトプットを刺激しあうことの大切さを知り、またそれを実行している仲間と出会うことができました。**でも、まだまだこれから。同志を増やすこと、志を磨くこと、郷土や国家を学ぶこと、やることは無限大です。多くの皆さんの想いに出会えること、楽しみにしています。

東日本大震災からの復興

いわき市議会議員　吉田実貴人（よしだみきと）

〈震災を契機に〉

私は大学卒業後、多くの期間を大手会計監査法人に所属し、公認会計士として、主に大企業相手に会計・金融サービスをしてきました。企業の小さな歯車とは認識していましたが、それでも日本経済に貢献しているひとりとして、東京でやりがいを感じながら、働いていました。しかし２０１１年３月11日に起きた東日本大震災では、故郷である福島県いわき市が甚大な被害を受け、衝撃を受けました。東日本の太平洋側は、これまで大きな台風や冬の大雪等の被害がなく、天災が少ない地域と考えられてきたからです。しかし実際に遠い親戚のひとりが津波被害で亡くなり、無常観・無力感を感じると同時に、このタイミングで故郷に貢献しなければ、いつやるのだ？　いまでしょ！　と自問し、震災から1年半後の２０１２年10月から、数字が読める地方議員としてこれまでの経験を生かしつつ活動しています。

〈震災後の地域〉

震災後、いわき市内では福島第1原子力発電所の事故を原因として、住民の大移動が起きました。住民の減少要因として市外への放射能自主避難があり、逆に増加要因として、原発近隣自治体からの帰還困難者の流入、そして原発作業員の市内滞在等があります。いわき市は人口32万人でしたが、当時の約1割が流出し、同じくらい流入し、結果として震災前と比べると微増しました。

流入する住民は、新たに土地を求め住宅を建設しました。また鉄筋コンクリート造の災害公営・復興公営住宅が建設されました。震災前に廃業が続いていた建設業界は息を吹き返し、逆に最も人手不足の業界のひとつとなり、土地価格は上昇しました。週末はもちろん平日夜の飲食店はおおいに繁盛しました。いわゆる復興バブルです。いまではほぼ震災前に戻って沈静化していますが、当時は飲んで帰宅する際に自家用車を代わりに運転してくれる運転代行サービスを待つのに、4時間もかかるということもありました。

一方、新たに流入してきた住民と、既存の市民との住民同士の軋轢（あつれき）もありました。一例が、賠償金の違いです。原発近隣自治体の不動産所有者は高額な不動産賠償を得ましたが、いわき市民はその対象外だったこと。また原発近隣自治体住民で避難生活を継続中の方には精神的苦痛に対し１人あたり月額10万円を支給されていましたが、いわき市民は数万円が1回支給されたのみ。それらが同じ市内に隣同士で暮らしているので、お金の使い方ひとつについても、やっかみがありました。現実には泥縄式に賠償期間が延び、夫婦と子供２人に祖父母がいる家庭だと累計で1億円近い金額になったので、賠償基準の設定に疑問が残りました。

〈どう地域を作り直すか〉

こうした中、国も被災地に対する支援として、２０１３年度から本格的な復興予算が組まれました。震災前のいわき市の一般会計の歳入歳出総額は１２００億円程度でしたが、この年度から倍増し、以後それが継続していくことになります。市税収入や市債発行が激増したわけではなく、増額のほとんどが震災関連経費であり、国や県からの交付金や補助金です。震災関連経費は、通常の予算と異なり、先例がなく、支出の妥当性や有効性の検証が難しく、一方、著しく規模が大きいという特徴があります。いくら国が交付してくれ、市には返済義務がないとはいっても、お金の出所は、復興特別所得税や復興特別法人税、そして国債であり、日本国民です。震災関連予算の使い方について広い意味で、説明責任があるはずです。震災関連経費は、除染対策費のような人件費として年度内に費消してしまう性質のものもありますが、インフラ復旧のように将来の資産の性質を持つものもあります。私は、インフラ復興予算で将来役に立つ資産を残したいと考えるようになりました。キャッチフレーズは、インフラ整備にあたり「将来に負の遺産を残さない」「子供たちにツケを回さない」です。また、**震災で改めて感じたことは、先人たちが残したインフラ整備のありがたさです。**平時にあたりまえのように電気・ガス・水道が使え、道路・橋梁がある生活です。しかしいったん震災で浄水場が使えなくなれば、水洗トイレが使えない。重い水くみ作業ができなければ、一瞬にして自宅内は糞尿の処理に立ち往生。文化的な生活が一変してしまうのです。いまあるインフラは、われわれの1つ前、2つ前の世代が少しずつ整備してきたもので、いっぺんにできるものではありません。我々現役世代は、先人たちの活動に感謝しつつ、さらにアップグレードして次の世代にバトンを渡す責任があります。

ダメージを受けたインフラを多額の予算を投じて直すのですから、単なる原状復旧でなく、バージョンアップいわゆる改良復旧としなくてはなりません。1例として今回、将来的な津波対策として沿岸部に高さ7メートル強の防潮堤が建設されました。これについては、巨額な建設費だけでなく、白砂青松の景観が台無しになってしまう、そもそも海が見えなくなってしまうので津波認識がしにくい等の問題がありました。そこで私は議会でこの問題をとりあげ、せっかく防潮堤を建設するならば、単なるコンクリートの塊とするのではなく、それを既存の道路とつなげ、市民が海を身近に感じながら利用できる自転車道・遊歩道としての活用を提案しました。その後、市民団体にも協力いただき、市だけでなく県道管理者である福島県等にもご理解いただき、防潮堤を含めた総延長約53キロメートルのサイクリングルートとすることが決まりました。名称も市民公募で「いわき7浜海道」と決まり、海岸線のすぐそばを防潮堤や既存の国・県道や市道などを活用し、自転車走行空間として利用できるようになりました。これにより散歩やサイクリングという楽しみだけでなく、運動による市民の健康の向上、さらには観光スポットとしての好影響も期待しています。

〈復興事業の反省点〉

反省を踏まえて申し上げれば、被災後の混乱期には、行政は被災現場のニーズに合わない補助金や施策もあったと思います。例えば、膨大な予算を投じて、沿岸部から高台へ移転するためのニュータウンの宅地造成を行いました。にもかかわらず、その宅地に元の住民が戻ってきておらず、更地の状態が続いています。被災直後は、各個人は生命や財産を守るべく、企業はその存続等をかけて、あらゆる手段を模索します。いきおいその矛先が行政への陳情・要望・議員への働きかけ等さまざまな形で向けられ、行政も被災住民に寄り添っていきたいと考えます。国・県も被災地を立ち直らせるべく、合理的な範囲で多大な予算を配分してくれます。結果、予算配分がどうしても甘くなりますし、現場の本当のニーズとズレた施策となりがちです。また自治体・民間も、国から最大限の予算を獲得すべく、行動します。**ところが復興予算さえ獲得できれば、その使い方やその効果がおざなりとなってしまいました。**今となっては利用されない土地に膨大な造成費をかけるのではなく、被災者に直接、再建費用を手渡し、立ち直ってもらったほうが良かったのではないか。真摯に反省し、将来の施策に活かさなくてはなりません。

〈地方議員だからできること〉

いわき市議会には37名の議員がおり、その役割はいわき市執行部の監視と予算等の承認です。執行権はないので役割は限定的ともいえます。しかし議員から施策の提案をすることに大きな意義があります。なぜなら議員には調査や施策を検討する時間に余裕があるからです。逆にいえば市長には強力な執行権がありますが、自分が裁量できる時間がありません。また自治体幹部にも執行権がありますが、前例踏襲が体に染みついていますし、なによりも自治体での勤務経験しかなく、自治体が置かれている立ち位置や民間企業の動きが見えておらず、新しいアイデアが出にくい。この隙間を埋め、市政をより良く提案できるのが地方議員の強みではないでしょうか。そしてそういった議員が経験を積んだ上で、首長に選ばれていけば、自治体経営はうまくいき、それが住民福祉の向上につながります。

議員がより良い提案をするためにも、積極的に市外へ出て、情報収集し、自分ごと化して、いわき市へどう還元するかをいつも考えることが重要だと思います。新しい情報をどんどん入れ、自分ごととして取捨選択することが大事。その点、龍馬プロジェクトのメンバーの多くが各地域の議員であり、同じ思いを持つメンバーとの交流や情報交換は、非常に有用です。なぜなら同じ議員という立場であり共通の価値観を持つ部分がある一方、それぞれの自治体により先例や考え方・捉え方が異なる部分もあるためです。また龍馬プロジェクトでは定期的に総会・視察・研修会等を開催しており、おざなりでなく、本気の内容を取り上げているので、とても刺激になります。こうしたメンバーが増えていき、地方の政治・経済・教育等のいろいろな面がより良くなっていって欲しい。そして、それぞれの地方自治体が良くなれば、日本全体が良くなると信じています。政治家でも地域が違うとすっかり震災のことを忘れてしまっている人がいるのも事実。しかし、どこの地域もいつ天災が起きるか誰も予測できないし、明日は我が身です。東日本大震災の復興過程の現状や課題等を龍馬プロジェクトのネットワークで全国の議員に伝え、その教訓が日本全体に広がるようなことをやっていきたいと考えています。

外国資本による土地買収とアイヌ問題

旭川市議会議員　林（はやし）祐作（ゆうさく）

今回は日本を守っていくためにも知って頂かないといけない北海道の現状の中で、意外と知らない方が多く、知っていても認識のズレがあると感じる、2点の事案について、取り上げたいと思います。その事案とは「外国資本による土地・建物の買収」と「アイヌ問題」です。

〈外国資本による土地・建物の買収〉

近年では、皆さんがご存知の通りで少子高齢化だけでなく、急激な過疎化が続き、住民もいなくなり、経済が縮小し、土地の値段も二束三文と揶揄（やゆ）されることもあります。そんな中で**外国資本とわかっていても、利用できず誰も買ってくれない土地や物件を通常よりも高値で買ってくれるとなると、**

売りたくなる気持ちは理解できないわけではありません。

北海道で外国資本がもっとも積極的に購入したのは、水資源を含む「森林」です。「森林」については下記のように「林野庁ホームページ」に公表されています。

「平成30年1月から12月までの期間における外国資本による森林買収」を確認すると合計108ヘクタールであり、平成30年12月末までに外国資本等により取得された森林面積の合計が2725ヘクタールです。その利用目的を確認したところ、中国系の8割が利用目的不明になっています。「表立って水資源の利用が目的であるとは言えない。しかし、中国の水不足は誰もが予想がつく。これが実態じゃないか」と指摘の声が上がっています。

また日本国を守るうえで重要な場所の周辺にある土地も、いくつも購入されています。

・旭川市の陸上自衛隊神居山無線中継所から約3キロメートル離れた農家跡地（2016年8月19日）。中国人の療養地、リゾート開発を掲げていたが現在は放置状態。

・滝川市の陸上自衛隊滝川駐屯地から約5キロメートルに位置する土地（2009年11月30日）。リゾート開発を掲げていたが現在も放置。

・白糠町の海上保安庁釧路空港基地から約2キロメートルに位置する工業団地の土地（2012年12月25日）。健康飲料水工場を建設。現在は工場の敷地内に工場施設、倉庫施設、コテージのような建物のほか、ヘリポートを設置。

・苫小牧市の航空自衛隊千歳基地に隣接する新千歳空港から300mに位置する土地（2014年1

月14日）。現在も名目不明。

これらの他に中国企業「スカイ・ソーラー・ホールディングス」の子会社である「スカイソーラー・ジャパン㈱」は関連会社を通じて余市町、函館市、滝川市、留萌市、増毛町、当別町、小樽市、札幌市、北広島市、苫小牧市、江差町、遠軽町、音更町、恵庭市の土地を取得しており、いずれも駐屯地や訓練地の周辺の土地です。

この他にも中国人オーナーの私有地につき立ち入り禁止となっているゴルフ場や、１つのコミュニティ地区のようになった場所があるとの情報も新たに出てきており、調べる度に更新され売買された土地や物件が登場することになっています。

「人口が数十人しかいない町村に大量の移民がきて、生活が始まれば、簡単に集落ができてしまう。それが北海道の各地で展開すれば、事実上、戦争よりもお金をかけることなく、北海道を制圧してしまうのでは」と危惧する道民の声もあります。

更に、土地の持ち主は日本国籍を有している場合もあり、「外国人また外国資本の企業」として調べる中では出てこないものもありますから、外国資本での買収としては「知られていない部分」がまだまだあるようです。

〈アイヌ問題〉

近年取り上げられることが多くなった「アイヌ」に関しては賛否両論があるのではないでしょうか。

北海道にはアイヌの記念館が多く存在していて、北海道で生まれ育った道産子にとって非常になじみ深いものであることは間違いのない事実です。

本年（２０２０年）、北海道のアイヌ政策の目玉として、２０２０年4月24日には白老町にウポポイ（民族共生象徴空間）が開設されます。その魅力やアイヌ文化を紹介するＰＲイベントが北海道の各地で行われております。また、大人気漫画の「ゴールデンカムイ」も北海道各地で自治体とコラボレーションされていて、非常に盛り上がっており、それを目的に観光客も多く訪れているようです。さらに、私の住む旭川市の高校ではアイヌ語を授業で扱うことが決まっている学校もあり、さらにアイヌの需要が増えていくことが予想されます。

しかし、２００８年6月6日に「アイヌ民族を先住民とすることを求める国会決議」が可決されてから、今もなお、有識者・研究者・歴史研究家などの方々によって論争が盛んです。「謄本などの本籍確認でも判別はできない現状では誰がアイヌ民族なのか？　確たる立証は難しいのでは？」との声やアイヌの方々が〝アイヌ〟だからという理由で迫害を受けていたか疑問の声もあるのが現状です。

北海道で生まれ育った60代男性からは「親たちにも確認したが、アイヌだからといっていじめていた者はいなかった。いじめられていた日本人がたまたまアイヌの血をひく者だったことはあるかもしれないが、北海道はいろんな藩から入植した集合地域であり、多文化が交じり合っていてアイヌだけが特別ではなかった。それにその時代を生きてもいなかった若者たちが〝アイヌは迫害されていた〟というのはおかしい。自分の子供の結婚相手がアイヌの血をひく者だったとしても普通に歓迎するし祝福する。本州に残る部落問題と同様に扱われるのは腹立たしいし、アイヌへの逆差別にもなりかねない」との指摘を頂きました。

また、北海道の都市にはアイヌの方のためのアイヌ住宅新築資金等貸付制度というものがあります。この制度は、事実として償還額の滞納が累積していて問題視されてきました。このことから札幌市では滞納の縮減に向けて、納付折衝等の滞納整理事務を適切に実施することに加え、2016年4月1日より貸付制度の運用の見直しを行っています。旭川市においても滞納累積だけでなく、踏み倒し状態になっている世帯も数件あるのが実情です。

近年、〝アイヌ〟を利用して利権を作ろうとしている動きがあると、危機感を感じる方々が増えてきています。アイヌの血を引く工芸家の砂澤陣（すなざわじん）氏の著書でも「アイヌ問題」は、放っておけば、「慰安婦問題」や「南京大虐殺」のように、日本を貶（おとし）めるプロパガンダに使われることを強く懸念されています。

さらにいえば、東京オリンピックのオープニングセレモニーにはアイヌのショーもあるようで、「世界に日本の先住民族としてアイヌの存在を認めさせることになるのでは」と危惧の声もあります。アイヌを利用しようとする外国勢力にとっては都合の良いものになってしまう可能性があるので、北海道民としても北海道文化の1つであるアイヌを守るためにも、アイヌを守っていく覚悟が必要であることをさらに強く進言したいです。

いわゆるアイヌ問題について、議会で積極的にアイヌを取り扱っていくべきなのですが、渋谷区議会議員である金子快之（かねこやすゆき）氏が札幌市議会議員だった頃に「アイヌ民族なんて、いまはもういないんですよね」とＴｗｉｔｔｅｒで発言し物議を醸したことから、**北海道の議員たちの中では、アイヌを取り上げることが危険視されており、いわゆるパンドラの箱化している現状もあります。実際に、私がこのようにアイヌを取り上げることを先輩議員に報告した際には、止められたこともあります。**

しかし、これからの北海道とアイヌのことを考えたときに勇気を持ち、取り上げていくことが重要です。アイヌとアイヌを利用しようとする人をしっかり区別し、時には厳しく追及し、時にはしっかりと守るための発言や判断が求められてくるのではないでしょうか。

〈地域の課題を国民に共有できる発信を〉

北海道における2つの事案について問題提起しました。心配し過ぎだという呑気な声もありますが、土地買収も組織的なアイヌ利権の創造も事実であり、最終的には我々国民にとって不利益になることです。批判を受けてもこうした社会課題に声を上げ、多くの国民に知ってもらうことが必要です。

そうした時に、国家観をもった地方議員の集団である龍馬プロジェクトの存在は非常に有難いですし、神谷会長が運営されているイシキカイカク大学などは、一般の市民の方々に政治や日本の現状を知ってもらうのに大変有効だと感じています。各地域の地方議員は龍馬プロジェクトのようなグループを活用するか、自分たちで作るなどして、各地域の問題をもっと共有し、発信していくことが急務だと考えています。

北海道議会において制定された「北海道水資源の保全に関する条例」や「北海道主要農産物等の種子の生産に関する条例」等のように独自で守るための条例を制定していくことはもちろんですが、日本各地から大きな声として国政や国民に様々な地域の現状や課題等を伝え届けることも、もっと積極的にすべきです。その時に我々議員はもっと、ＳＮＳやＹｏｕＴｕｂｅを活用できるようにしておかないと、地域だけでの発信では今回取り上げたような問題に、多くの方々の関心を寄せてもらうことができません。

人間１人、できること・できる量には限りはありますが、１人ひとりが少しずつ未来のため公のために行動していかなければ、取り返しがつかないことになります。私自身ももっと自分を戒め、議員という立場で行動するべき事柄は多岐にわたることを踏まえながら、正確な情報収集と判断、そして発信を求められていることを肝に銘じます。

第7部　議員でないからできる政治もある

議員ではない立場で政治を考えることの大切さ

元銚子市議会議員　椎名（しいな）　亮太（りょうた）

〈私が見た地方議会の実態〉

私は1984年6月に千葉県の銚子市に生まれました。曽祖父は元衆議院議員、伯父は元参議院議員というわゆる「政治家一族」の中で育ちました。物心つく頃からたくさんの大人たち＝支援者の方々に囲まれ、家族の会話といえば政治について。選挙期間中、両親は選挙活動に駆り出されていたため、私たち子供は選挙事務所で食事をするなど、慌ただしく出入りする大人たちの中で、身の置き所がなく気の休まらない生活を強いられていたような気がします。そのような特殊な環境で育ってきたのですが、幼いながらにとても辛かったのは、初めて会う大人に「お前の一族は好きじゃない」「椎名とは付き合うな」など意味不明な誹謗（ひぼう）中傷を受けたことです。今振り返れば、伯父と選挙戦を戦っていた対抗者の言葉だったとわかります。

そんな幼少年期を過ごしたせいか、自分は決して政治の道には進まないだろうと思っていました。しかし、2011年3月11日の東日本大震災で運命は変わりました。不運にも時は民主党政権下。メディアを通じて知る民主党政権のあまりに杜撰（ずさん）な対応に、不信感を超えて怒りが沸き起こり、大きな危機感へと変わりました。「**このままでは日本がダメになる。日本のために自分にも何かできることがあるのではないか**」そんな想いに駆られ、政治塾に入塾し国政進出に向けて活動を始めたのです。こうして政治家を目指し、国内事情を学んでいく中で、地方の衰退や故郷銚子市の危機的状況を目の当たりにして、国政から市政へと進路を変えました。そして２０１５年の統一地方選挙で市議選挙に初出馬し、最年少ながらトップ当選を果たすことができました。

市議会議員になり、まず同僚議員の熱意に大きな温度差を感じました。私は銚子市の深刻な財政難をどのように乗り越えるかなど、日々課題と解決策を模索し提示した上で積極的に議論の場を求めていました。しかし同僚議員から出てくる話といえば、自慢話や過去の武勇伝。問題は後回しで責任の擦(なす)り合い。議員視察では下調べもせず、先進的な事業に取り組んでいる自治体を視察しても後ろ向きの発言しかしない。インプットしてもアウトプットしないという、何のために視察したのかもわからない始末でした。議員としての威厳や誇りを感じることができず、深く落胆したことを覚えています。同時に自治体の古い体制にも憤りを感じました。若手職員がどんなに努力し行動を起こそうとしても、動きの悪い首脳陣が重石となっていては、伸びるものも伸びるはずがありません。こうした行政の早期立て直しが如何に重要であるかを感じていました。

〈「若さ」と「勢い」だけの見切り発車〉

そしてそうした思いに拍車をかけたのが、神谷会長や龍馬プロジェクトとの出会いでした。千葉で行なわれた研修の講師だった会長の話に感銘を受け、その日のうちにSNSを通じて連絡をし、龍馬プロジェクトに入会しました。そして、議員として日々奮闘されている全国のメンバーの方々と交流させていただき、その志の高さに圧倒されました。同時に自身の地方政治に対する思いも受け止めていただき、勇気をもらいました。

その後、神谷会長と共に国内外の研修やたくさんの視察に参加することで、己の視野の狭さ、知識の乏しさを感じるとともに日々物凄いスピードで自分が成長していることを実感しました。実は出会った当初は神谷会長の「**地方議員も国全体のことを考えなくてはいけない**」という考えに、私は戸惑っていました。しかし会長と行動を共にするにつれて「日本は諸外国からどのように見られているのか」、「インフォメーションではなくインテリジェンスを働かせること」、「インプットしたものを、アウトプットして多くの人から共感を得られなければ学んだことにはならない」という言葉が腑に落ちて、私の考え方は大きく変わりました。同時に、地元の行政や地元市議会だけを見ていては「井の中の蛙」になると感じ、**自分の地域から皆さんの意識を変えていける政治をしたい**という思いが高まりました。そして、銚子市を抜本的に変えるためにも、そして自分自身が新たなステージに進むためにも、市長選に出馬しなくてはならないと思い、市議会議員1期目の半ばでの挑戦を決意しました。この時は神谷会長に相談し、市長選挙の世論調査を行ないましたが、調査結果は大変厳しいというものでした。神谷会長にも「今回はやめておけ！」とアドバイスをいただいたのにも関わらず出馬し、蓋を開ければ大惨敗という結果でした。

今思うと「若さ」と「勢い」だけで見切り発車し、市議会議員選の時のような綿密な準備を怠っていたように思います。落選した当初は、地元の人に会うたび「生意気な奴」「せっかく議員になったのに勿体ない」「銚子の汚点」など、まるで犯罪者にでもなったような錯覚を起こさせる言葉の数々に身の縮む思いもしました。しかし心折れずに立ち直れたのも、地元支援者の方々の温かい励ましの言葉のおかげです。

〈議員ではない立場で政治を考えることの大切さ〉

議員という肩書きがなくなり、気持ちを切り替えるためにも、まずは自分自身を見つめ直してゼロからスタートしようと思っていた頃、神谷会長が「イシキカイカク大学」という社会人向けのスクールを作られました。ここでは政治、経済、歴史、社会情勢、国際情勢、哲学等を、あらゆる分野の有識者から学ぶことができ、世の中の仕組みを俯瞰して捉えることができました。分野は違ってもそれぞれの内容が繋がることが多く、「**1つの事柄だけを学んで判断するのではなく、多くの知識と視点から物事を捉えなければならない**」ということが学べました。例えば、お金儲けしたいからといって経営ばかりを学んでも、成功するための本質は経営だけでは学べないということです。この学びのおかげで自分自身の政治理論も本質を捉えられていないと気づくことができました。さらに通学を通して志のある人々とともに切磋琢磨できたことも大きな財産になりました。**議員でなくなったからこそ、柔軟な頭で学びを受け入れられ、本当に必要な政治の役割について考えることができました。**現職の議員の皆さんも選挙や地元事情を考えるだけでなく、多角的に学ぶ時間も取られることをお勧めします。

また現在は親となり、初めての子育てを経験し、神谷会長が政治の大きな役割と言われる「教育」の重要性を、身をもって感じています。社会の問題は人間が引き起こします。そうであれば**「立派な人間」を育てることがよい社会を作っていく基礎になるはずです。**それがいつの間にか、「偏差値の高い人間、お金の稼げる人間」を育てるシステムを政治が作ってきたのではないでしょうか。「教育は票にならない」と言われますが、だからこそ教育は時間をかけてじっくり取り組む政治の仕事だと思えるようになりました。

こうした一連の学びは議員になったからといって、有権者の皆さんに聞いてもらえることではないので、私は自分が学んだことをしっかりと発信できる力を持ちたいと考えています。発信方法はまずSNSから始め、今ではYouTubeや個人ブログでの発信に取り組んでいます。神谷会長の「**学ぶだけではダメ、行動することや発信して皆さんに伝えて初めて意味がある**」という言葉は簡単なようで、実は相当な努力なしではできないことをやってみて初めて実感しています。

〈すべては私たちの行動次第〉

最後に、30歳と32歳で2回の選挙に挑戦して浮き沈みを経験し、ゼロから再スタートできた最大の力は多くの人との出会いだったと思います。1人だけの行動には限界があります。人と人との出会いこそがかけがえのない財産であり、これからの活動の原動力となっていくと信じています。しかしその財産を有益にするのも無益にするのも自分自身の信念だと思います。

　誰かが何とかしてくれると他力本願にならず、私たち国民が国や公のことも考え、行動をとらなければなりません。**もし現在の議員に不満があるのならば選挙で変えるしかありません。政治家を選ぶのも国民、日本の未来を変えられるのも国民、すべては私たち国民の行動次第です。**残念ながら現在の日本は政治に対する関心が他国に比べると低い状態です。このままでは本当に取り返しのつかない未来になってしまいます。何度も言いますが私たち国民の行動次第で未来は必ず良い方向に進みます。私自身も今は議員という肩書きはなく政治家として活動していますが、いつかは政治に再挑戦し、国作りの礎の１人になりたいと思っています。今後もＳＮＳやＹｏｕＴｕｂｅ等での発信を継続し、多くの人々に影響を与えられるよう努力します。そして大切な日本を「一期一会」で出会った同志と共に守っていけることを切に願っています。

政治を政治家だけに任せない

一般会員　林元（はやしもと）政子（まさこ）

〈日本の根本原因を考える〉

　私は一般人女性ですが、全国的にも名高い首長さんと普通に居酒屋でサラダを取り分けながら意見交換をしています（笑）。龍馬プロジェクトはそんなフラットなコミュニティです。右も左も無く「日本を良くする」ために前提知識を共有し行動を起こしていくチームです。

龍馬プロジェクトとの出会いは、会長の神谷宗幣さんのネット上の様々な発信に触れたことからです。伊勢の神宮の近くにある修養団の研修で初めて生の講演を拝聴し、今までの人生でずっと自分が感じてきた様々な違和感に直結する日本の問題の根幹に人生を懸けて向き合っておられる姿勢に大変な感銘を受けると同時に、自分も生き方を見直そうと思い、この2年間は会長の運営する私塾、「イシキカイカク大学」で政治経済から歴史、スピリチュアルに至るまで多岐にわたる分野の第一線の専門家から直接学ぶ機会を頂きました。衝撃的なほど無知な自分に気付き、得られた情報は今までの人生で幾度となく感じてきた違和感に対する明快な答えでした。**日本を取り巻く多くの問題がすべて1つの線で繋がる、つまり明治維新から敗戦を経て作り変えられた国の構造が、戦後75年を経過しても今尚続いていて、根本的な原因はここに集約される事を知りました。**この根本的な問題の全体像とリアルな世界情勢を国内外の視察や、研修、日々の情報交換で、前提知識として共有しつつ、アクションを起こす行動力のあるチームが龍馬プロジェクト、その民間版がイシキカイカク大学です。

〈日本への違和感〉

ここから私がなぜ今の日本に違和感、問題意識を持って生きてきたのかという点についてお伝えします。

私は地方在住の40代女性です。20代は父から受け継いだ会社の倒産を経験しながら、母親を看取り、結婚、出産、離婚、再婚と目まぐるしく経験しました。28歳の時から今の在宅医療の会社を経営し、海外投資仲間と様々な投資活動をしています。私にとって大切なのは自分の家族と社員なのですが、その大切な周囲の人達の幸せを想うと、どうしても今の日本を取り巻く問題に行き当たります。医療の現場で、そして投資の活動を通して様々な違和感を抱いてきました。

在宅医療のお仕事をさせて頂く中では、日本の医療現場において薬が多用され、その量は人口比世界1であることや、心身の病に苦しまれる人が増え続けることを目の当たりにしてきました。そして何より人生の最終章を迎えた人生の先輩方が、自らの「逝き方」をご自分やご家族で決めようとされない方が、とても多くおられることに強烈な違和感を抱いてきました。死への恐怖に支配されてしまい、例えば延命治療をするのかどうかという人生の幕引きを決めるとても大切な決断を、医療提供側の判断に任せてしまう方が多いのです。ご本人は自らの「逝き方」を決めておられるのですが、ご家族がそれを受け入れられず、医師や医療従事者に判断を任せようとされる場面が多くあります。結果として医師は、明確な意思表示の無い患者さんに対して今できる最大限の治療を施す義務がありますので、苦痛や痛みを伴う延命治療であっても施すことになります。**これは日本では普通のことのように感じられますが、海外では有り得ないことで、日本の延命治療の現状を海外の方に話すと「それは虐待だ」「なぜ家族は断らないのか」と驚かれ不思議がられます。**私の母親は若くして亡くなりました。温泉施設で心臓発作による突然死だったのですが、彼女はその直前、私にとてもはっきりとお別れを伝えていました。その時は意味がわからずキョトンとしてしまいましたが、その1時間後、心肺停止の連絡を受けて、最期のお別れを伝えていたのだということがはっきりとわかりました。その日から私は人間の死とは何か「あちらの世界」に移動する「肉体からの卒業」のようなものだと捉えるようになりました。

もう1つの活動、海外投資は、日本における閉塞感から逃れたくて、また勉強の為に取り組み始めました。主にアジアの国々で不動産やスタートアップ事業に投資するのですが、そこで華僑、つまり中国人のネットワークの強さを知りました。彼らには世界中でとても強くて太い人的パイプがあり、知らない異国の土地で飲食店を開くにしても、華僑のネットワークでもって円滑に資金調達や仕入れをされていました。不動産も日本人が買う少し前のタイミングで買っているのは主に彼らでした。そして仲良くなった彼らが言うのは、「日本人は出口」。安い値段で買い、日本語で書かれた綺麗なパンフレットを作り、日本人に高く売る。こういう不動産を投資目的や居住先として高値で買っている日本人を多く見てきました。**平均的な日本人の金融、投資に対するリテラシーが世界のそれと比べて低く、世界では通用しなくなってきている。**少し前までは華僑のような勢いが日本にもあり、世界第2位の経済大国であったことを思うと非常に寂しく、たった20年でこれだけ世界市場での地位が低下することに恐怖を覚えました。

私はこれらの経験から、日本人が後ろ向きになっており、近視眼的で内向的になっていて、世界中のどこにでも出ていって経済的に自立して日本に貢献しようという強さが、世界の人と比べて足りな

いのではないかと感じてきました。また自分の「生き方」「逝き方」を自分で決めることを避けようとする方が多いように感じて、それによって大切な自分の親の「逝き方」を引き受ける気持ちが持てなかったり、他人に大切な決断を委ねてしまったりするのではないか。これではどんなに目先のことを頑張っても、人は幸せになれないのではないか。そんなことを漠然とした違和感として感じながら生きてきました。

〈一般会員からみた龍馬プロジェクト〉

これら私の漠然とした違和感に、明快な回答と明るい光を示してくれたのが、龍馬プロジェクトです。**日本人が強く自立して挑戦しないようになった理由と、自分の「逝き方」を決められなくなった理由を、多角的な視点から学びとることができました。**世界から直接集めたリアルで確かな情報と、高いレベルのインテリジェンスを共有できるシンクタンクであり、今すぐに取り組む課題が共有され、信頼ベースで協力して活動できる全国的な組織です。昨年は龍馬プロジェクト10周年記念大会に参加させて頂きましたが、国会議員をはじめ、知事、市長、全国の地方議員の皆様の士気は高く、高い能力と志を持って集う場の空気はとても迫力があり、高いエネルギーに満ちていました。そこにイシキカイカク大学の仲間や、様々な能力と志のある方々が加わり、民間もどんどん政治に介入していこうという動きが加速度的に大きくなっています。

昨年秋、アフリカのルワンダ視察に龍馬プロジェクト、イシキカイカク大学の方々とご一緒させて頂きました。ルワンダで出会った若者は、起業志向の方がとても多くて、国の発展にどう貢献するのかを真剣に考えて前向きにどんどん挑戦する生き方をされていて、幸せそうに輝いて見えました。またルワンダの子供達は、文房具も揃わない状況の中で、国に貢献する夢を抱いて一生懸命勉強していました。こうして海外を回ることで、日本の長所や課題を肌で感じることができます。こうした活動を忙しい地方議員の方が、自己負担で海外に行き、地道にされています。そんな議員が集まっているのも龍馬プロジェクトの魅力だと感じました。

〈政治を政治家だけに任せない〉

誰かが何とかしてくれる、だから従っていれば何とか事が過ぎていく、という時代は終わりを告げ、令和の時代が始まった今は「自分が何をどうしたいのか」をはっきりと問われる、自分で決断することがとても大切な時代に入った。こんな話をイシキカイカク大学で、並木良和（なみきよしかず）先生をはじめ、多くの先生方から色々な切り口でもって教わりましたが、私の実生活においても正に多方面でそれを感じています。人間は自分の幸せを追い求めて、目の前のことだけ、今の利益だけを考えていては決して幸せにはなれず、いかに周りの人の幸せに貢献できるか、それが自分の幸せなのだと言うことも多くの先生方から教わりました。周りに貢献しようとすること＝自分の幸せなのだから、日本という大きな家族の一員である私達はこの自分達の日本をより良くしていくことを真剣に考えること、それぞれの立場で精一杯の貢献をしていこうとするプロセスそのものが、本来の大家族の一員としての人間の幸せな生き方であり、それをもう1度しっかり取り戻して次の世代に伝えることが、今を生きる私達の役割なのかなと感じています。

政治家が何とかしてくれる、という考えから自立し、自らも一員である日本というチームを良くしていこうと皆が想い、世界はそれにつられて良くなっていく、そんな少し先の明るい未来を見据えて、波乱の時代を仲間と共に強く乗り越えて行きたいと思います。龍馬プロジェクトの仲間として共に活動して幸せを創っていく、まだ見ぬ仲間との出逢いを楽しみにしています。

議員経験が活かせるキャリア作り

前富山県議会議員　海老（えび）　克昌（かつよし）

〈私はこれで議員を辞めました〉

改選を約半年後に控え、私は選挙に出ない決断をしました。

2期8年間県議会議員を務め、年齢は38歳。この条件なら、また選挙に出て議員を続けていくというのが一般な流れです。そんな私が選挙に出ない決断をした理由は、私が議員を続けたとしても十分な政治力を発揮できず、支援者の期待に応えることができないと考えたからです。それが分かっていて議員を続けるのは、自分の生活のためになってしまう。私はそれをよしとできませんでした。

そもそも政治家になりたいと思ったのは、地元の市長選挙の応援にガッツリ関わったことがきっかけでした。最初は何もわからずに応援に行っていましたが、候補者は新人、しかも市を2分する選挙ということもあり、関わり方も次第に真剣になっていきました。あるとき、選挙事務所内で聞こえてくる政治家の怠慢さや、若い人が政治に関わっていかないと変わるものも変わらないという声に感化され、機会があればいつか自分も議員になって、世のため人のために働きたいというスイッチが入りました。そして、市長選挙の2年後に立候補し、県議会議員として活動することになりました。

しかし、議員になってみると想像していた世界とは違っていました。私が想像していた議員の仕事は、行政に対して要望を伝えれば、対応の速さには多少の差があったとしても、何かしら改善の道筋をつけることができるものだと思っていました。また、地域のためになる活動を続けていれば、支援者は活動を理解してくれるものだとも思っていたのです。

〈伝えきれなかった私の想い〉

少し例を挙げます。空き家問題や空き家を解体したあとに残る空地問題を改善するために、都市部から講師を招いて勉強会を開催し、問題改善に向けて活動する会を作りました。また、日本の歴史を知ってもらうことが、郷土愛を育む1歩だと考えて、龍馬プロジェクトで作成した古事記の紙芝居を平日のお昼時間にご飯を食べながら聞いてもらう会を開いたりもしました。現在見えている問題だけではなく、将来のことも考えて活動していたつもりだったのですが、そんな活動を続けていると、支援者から「そんなことをしてもらうために応援したんじゃないぞ。そんなことをする時間があれば挨拶まわりをしろ」「今、目の前にある身近な要望を解決するために動け」と言われるのです。この言葉の背景には、次の選挙のことを心配して指導や助言して下さっているということもあり、有難く感じていましたが、一方で、私の活動やその先にある想いを理解してもらうためにはどうすれば良いだろうという悩みもありました。言われること全てに対応してから、取り組みたい活動をおこなえば良いのかもしれませんが、それでは時間がいくらあっても足りません。議員の行動や悩みを理解してくれる人が少しでも増えれば、活動しやすくなるのにと考えていました。

また、地方議員の仕事は、市民や各種団体からの要望に沿った条例を作ることです。その条例には法的拘束力のあるものとそうでないものがあります。法的拘束力のない条例は努力目標なので、条例の制定を機に問題を市民に周知し、解決に向けて取り組んでいかなければいけません。例えを挙げると、障がい者差別条例や手話言語条例などがそれにあたります。障がいを持つ方が一般生活を送る上でどのようなことに不便さを感じているのか、また聴覚に障がいを持つ方が外出の際に手話で対話することができればどれだけ助かるかということを条例の制定を機に広めています。私も、これまでに思い入れのある条例が制定されたことがあり、周知するための活動をしてきました。しかし、そのような活動をしていると「何でお前がそんなことをしてるんだ。条例を作ったら、また次の条例を作れ」と言われるのです。そう言ってくる方の気持ちもよくわかりましたし、それもやるべきですが、周知する活動をおこなう人が少なすぎるため条例の効果が限定的になってしまっているのが現実です。議員以外の誰かにやってもらえば良いのですが、仕事や家庭など日々の生活で忙しく、行動する時間がなければ、そもそも関心を持つ時間もありません。周囲にやってくれませんか？　とお願いしてもやってくれるわけがなく、それなら私がやるしかない！　ということになっていたのです。

問題を共有し、世論を作って問題解決に繋げていくという流れを理解してくれる人や、周知する活動をしてくれる人達がいれば、もっと地域が変わるのにと日々考えていました。これらの悩みは私だけが抱いているものではありませんでした。より広く、高い問題意識を持って政治活動をしている議員が同じ悩みを抱えていました。

〈議員だけが政治家じゃない〉

そんなとき、改選を前にして大きな動きがありました。同じ選挙区の現職議員が引退を発表し、その方の後継者が決まったのです。その後継者とは支援者と地盤が重なり、一部の支援者から「選挙に出ないのも選択肢の1つだ」という意見がありました。また一方では「厳しい選挙になるけど頑張ろう」といった言葉もかけていただきました。私の中で、自分が選挙に出ることで地域を割ることになるのではないか、という想いと、たとえ厳しく辛い選挙であっても「頑張ろう」と言ってくださる方々の想いに応えるべきではないか、という想いが交錯していました。

そこで、政治家の気持ちをよく理解し、議員の経験を活かして経済人として活動している本会の神谷会長に相談してみることにしました。すると「**議員だけが政治家じゃない。議員じゃなくても政治はできる**」という答えが返ってきました。さらには、**議員は選挙をやらないといけないから、言えな**

いことやれないことがたくさんある、政治の中身を知っている人間が民間の立場で、議員にはできないことをやることが政治を変えるきっかけになるかもしれない、とおっしゃるのです。会長は政治家経験を活かし、国民に対して様々な問題を広く周知する活動を自ら体現しているので、この言葉が私にすっと腹落ちして最終的な判断をするきっかけになりました。

〈これからの目標〉

私が議員経験者としてこれから目指していくのは、議員として活動したときに感じた「**政治に対する無知や意識のギャップ**」を縮めることです。**現役の議員では言えないことを経験者の立場で発信することによって、有権者が政治のことを知り、関心を持ってくれる人が少しでも増えることで今よりも議員が活動しやすい環境を作れます。**さらに、ＳＮＳなどを活用して啓発活動や情報発信をしながら、講演会や研修会などを開催し、10年後、20年後のことを有権者が考える機会も作っていこうと考えています。また、問題や課題を共有する場を設け、その中で世論を少しずつ作りながら、問題解決に繋げていくための活動をしていきます。そして、政治に関わる人が増えれば、地域にある課題は速度を上げて解決されていくことになります。いずれは、各種団体や一般市民から協力者を募り、一緒に活動していくことも計画しています。時には行き詰まることもあるかもしれませんが、私には龍馬プロジェクトで繋がることのできた政界の人脈が全国にあります。解決策や対応策に対しての相談はもちろん、各地での成功事例など様々な情報を交換することができれば、連携することもできます。

こんな気持ちになれたのも、本会に入会したからです。本会のメンバーと出会わなければ、政治を諦め、地元町内の役員を引き受けて町のお世話をして暮らすことになっていたでしょう。**政治経験を活かして、まだまだやれる！　やるべきことがたくさんある！　と魂についた火を燃焼し続けられるのも志高い仲間に出会えたからです。**このネットワークを活かして、議員が政治に専念できる環境を目指し、政治力をつけて、よりよい日本を創っていくために尽力していきます。この活動がしっかりと作れたら、いつの日かまた議員のバッジをつけて活動することもあるかもしれません。

2期目の任期を終えて起業することを決めました。起業という選択ができたのも、本会に入会したことによって、築くことのできた人脈が政界だけではなく経済界にもあるからです。この人脈からいただく情報量も多く、繋がりを活かし次のステージでの活動を考えています。若くして議員になり、議員を辞めた人にとって、その後のセカンドキャリアの問題は常につきまといます。そうした中で、私の活動が「**議員経験が活かせるキャリア**」という1つの事例として広がれば、若くして政治の道に進もうという人も増えるのではないかという期待を持っています。議員を経験したからこそ社会で活躍することができるということを、世の人に知ってもらうために、今まで以上に地域のため、日本の未来のために尽くしていきます。

政治家と国民の架け橋になる

前守口市議会議員　竹内（たけうち）　太司朗（たいしろう）

〈自分にも市民にも嘘はつけなかった〉

私は、２０１９年4月の市議会議員選挙に出馬するのをやめました。28歳で初当選をし、２期を満了しました。本来でしたら、３期目へと挑戦するのが普通かもしれませんが、それでも出馬をしませんでした。

何故出馬をしなかったのか。答えは単純です。私には、所謂〝政治家〟になることができませんでした。つまり、市民の皆様とお約束をしたことが全くできないということを痛感したからです。私の主な政策課題は、教育をもっと良くすることでした。

私は、出馬を決めるまで、大学受験の講師（英語）をしていました。時が経つにつれ、これから大学生になろうとする高校生の現状や保護者の方々の考えなどを知れば知るほど「これからの日本はどうなるのだ」と正直心配になりました。このことが、政治家として教育をもっと良くしたいという原点となりました。立候補当時は、「教育を変えることができる」と爽やかな気持ちで選挙戦も戦いました。「政治家はまちを変えることができる」「教育も変えることができる」とただただ簡単に思っていました。しかし、現実はそう簡単ではありませんでした。教育を良くしようと議会や教育委員会に何度もその方法を提案しても、ほとんどが空振りで本質的なことは何１つ変えられませんでした。

日本において、政治と教育は実は難しい関係にあります。戦後、行政の長である首長から教育委員会の教育長が独立して存在していることがその１つの現れです。教育では「政治的中立性」という言葉がすぐに飛び交い、選挙で選ばれた首長ですら町の教育を決めていくことはできないのです。私はどこの部分が政治的中立性にひっかかっているのかを理解できず、ただ子供たちの健全な成長を願って提案や改善を訴えてきたのですが、成果は出せませんでした。

「もっと勉強をしてちゃんと説明できれば、理解してくれるはず」「地元議員の仲間をもっと増やせば変えることができるかもしれない」と思っていましたが、2期目の当選をさせて頂いても、全く形にできませんでした。1期目の途中でも諦めそうになっていましたが、「2期目なら絶対できるはず」と思っていただけに悔しい思いをしました。

私は変な人間かもしれません。3期目も「教育を変える」と声高に訴えて選挙に出馬したら当選できたかもしれない。しかし自分自身が「どうせ変えることができないけど……」と心の中で思いながら、市民の方々に嘘をつくことができなかったのです。選挙に当選したいからといってキレイ事ばかり並べることができなかったのです。

〈有権者はどこを見ているのか〉

選挙で投票する人物をどのような視点で選んでいるのだろうかと悩んだ時期もありました。「本当に立候補者の政策をきちんと確認しているのか。実績を見ているのか。その候補者が2期目であるならば、1期目をきっちりと評価しているのか」と悩んでいました。この疑問が浮かぶ1番の要因は、この疑問を投げかけた人々のほとんどが、私の期待する反応ではなかったからです。「お葬式に参列して頂いた」「お祭りに顔を出してくれた」「運動会にも来賓として出席してくれた」「家に来た」などということが投票の基準となっていたのです。おそらく、この本を読んでいる方々は、そんなはずがないと思っている方が多いとは思いますが、現実はそうでした。政治家はそこを理解しています。だからこそ、選挙前だけに行動し始めるのです。任期4年のうち3年半は忘れ去られようとも、選挙半年前くらいになって突然駅立ちをし始め、その時から思い出してもらえばそれで良いのです。つまり、「政策や実績はどうでもよく、選挙に当選さえすれば良い」とでも思っているのかもしれません。

それでも私は理解しています。理想の政治家はどこにでも顔を出し、政策や実績をあげることが大事だと思います。この2つができれば最高です。ただ私にはできませんでした。政治への諦めとともに、新たな感情が芽生えたのはそこからです。

〈正直者がバカを見る〉

私が苦手な部分はもう1つあります。それは「政治力」です。「政治力」の意味は一般的に「政治を進めていく手腕・力量」ですが、私は「人を騙（だま）し、相手の言うことを信用せず、まず疑い、自分のやりたいことを成し遂げるために、駆け引きを繰り返し、相手の本音を探ることができる力」であると考えています。

「その政策はとても良いし一緒にやっていきましょう」と飲み会の席や廊下での立ち話で話をしても、結局、会議や委員会の場になると「そんなことは約束していない」と知らないふりをされるパターンがほとんどです。もし、この内容を読んでいる方で、私と同じ期を過ごした議員の方がいらっしゃったら申し訳ないですが、その私が考える「政治力」を何度も試してみたことが実際ありました。でもやればやるほど、自分自身の性格が悪くなっていきそうな気がしてなりませんでした。「正直者がバカを見る」とはこういうことだったのかとも思いました。

〈人気取りはしたくない〉

思い切った政策は地元市民から嫌われる傾向にあります。つまり、市民を2分するような政策はなるべく避けたほうが良く、誰にでも喜ばれる政策を考えたほうが良いのです。結果、次の選挙には有利になります。結局、市民の方々に嫌われないように、次の選挙で落選しないように、誰でも賛同できる政策を考えてしまうようになるのです。

いつのまにか、政治家は人気取りの仕事になってしまいました。正直、仕事のわりには、給料も良いです。適当に過ごしたとしても高い報酬と期末手当を頂けます。勉強を頑張り政策を考え、実行に移そうとする議員と、その反対で、家でずっとバレずに寝続けている議員、両者とも同じ額の報酬を頂けるのです。

正直に書きます。私は実際、天使と悪魔が頭の中で戦っていました。2期目が一番辛かったですが、天使が常に勝ってくれたことは本当に有難かったです。もし、3期目も当選していたら、「もういいだろう。どれだけ頑張っても無駄だし、同じ報酬をもらえるのだから何もしなくても良いのでは」と悪魔が囁き、私が天使を負けさせていたかもしれません。私自身が人間として堕落してしまうことが恐くなってきたことも、出馬をしないと決めた1つの理由なのかもしれません。

〈手段を変える〉

ここまで、自分の能力の低さや愚痴を述べてきましたが、1つだけやりたいことがあります。実は議員にならないと選択したからといって、教育を良くすることを諦めたわけではありません。目標は同じですが、手段を変えただけです。

前述したように「新たな感情が芽生えた」のです。議員を選ぶのは、市議会なら市民です。もし、私が議員のままだったとしたら、おそらく、これから述べることは「生意気なことを言うな」と怒られると思います。しかし、今、私は議員ではありません。ただ地元で働くおっさんです。だから色々なことを伝えることができます。議員が市民や国民に良いと思っていることを伝えたとしても、よほど人気のある方でないと、見向きもしてくれない現実があります。「どうせ選挙のためでしょ」と言われることもあります。当然、「他の方を応援しているので」と言われてしまうことも出てきます。

その問題を解決するために自分が選んだ道は、自営業を継ぎ、仕事をしながらでも色々な方々と交流をし、今後出てくる地元の問題や国の問題などを語っていくことです。これまで、議員という立場で縛られていたものから解き放たれ、しっかりと活動をしていきたいと考えております。

〈良い政治家を増やすには〉

大切なことがあります。誰でもわかることではありますが、良い政治家が増えれば増えるほど、良い自治体や国になります。その良い政治家を選ぶのは私達です。つまり、**私達が何も考えずに政治家を選んでいたら、とんでもない未来になります。**私達は、より政治に関心を持ち、自分の国の未来を考えて学ぶことが必要だと思います。決して、顔を出すだけのパフォーマンス政治家を選んではいけません。顔を出すだけの政治家は本人もそれが計算のうちだとわかっていて、そうしているのです。私たちには、その様な候補者を見抜く力も必要です。

抽象的な書き方になりますが、**より良い政治家をたくさん誕生させるためには、まずは私達の意識を変える必要があると考えています。**この考え方をするようになったことが、私の「新たな感情の芽生え」です。

〈政治家と国民の架け橋になる〉

政治家を一括りにして、全てが悪いように述べてしまいました。実は、龍馬プロジェクトには素晴らしい尊敬できる政治家がたくさんいるのです。その方々の素晴らしい考えが当たり前に実現するように、私は異なる立場で行動していきます。政治家だけが日本や世界のビジョンを考える時代ではなくなります。国民1人1人が考えていく時代に必ずなると信じております。だからこそ、私の役目は「政治家と国民の架け橋」となり、より多くの方々に政治に関心を持って頂けるように行動をすることだと考えています。

終わりに

30名の想いや志、個性などを感じていただけたでしょうか。一般的に読者の皆さんには、政治家や議員に対しネガティブなイメージがあると思います。しかし、今回取り上げたメンバーのように、リスクを取って、時に家族と苦労を共有しながらも、誠実に政治に向き合おうとしている政治家がいるということも知ってください。

私は10年前に、こうした政治家を集め、ビジョンを掲げて行動すれば、日本の政治は変えられると考えて龍馬プロジェクトを設立しました。しかし、現実はそう簡単ではありませんでした。本文のメンバーのメッセージにもありましたが、「**誠実にやれば認められる、正論を言えば選挙に通る**」**というものではない**からです。

しっかりとした発信をして、国民や有権者に理解してもらい、応援してもらわねばなりません。しかも有権者の6割は、政治に関心がないか失望しているという状況の中で、それをやらねばならないのです。発信のコストはすべて、自分の歳費（給料）と時間を削ってやらねばならないというのがほとんどの議員の現実です。やればやるほど、真面目な人ほど、消耗するということを目の当たりにしてきました。

七転八倒するうちに10年が経ち、10年前に提起した日本の課題はますます大きくなりました。世界の中の日本の存在感や影響力は小さくなり、人口減少は顕著になり、閉塞感が大きくなりました。にもかかわらず政治は大きく改善されてはいません。

私は、会の発起人として「なぜ、日本の政治は変わらないのか」を探究し続けてきました。**そして気が付いたのは「国民が日本の当事者として政治的な課題を考えるための基礎情報を与えられていない」「情報がマスコミを使ってコントロールされている」ということでした。**そこでインターネットのYouTubeで、日本の現状を把握してもらうための情報発信を始め、7年間で20万人近い方々に情報を届けられるようにしました。**私はこうした情報を受け取って、本気で日本のことを考え行動したいという国民と、日本や世界の発展のために、リスクを取って政治をやるぞという政治家を繋いでいこうとしています。**

日本のチェンジメーカーを1人の強力な個人に任せるのは無理があります。世界第3の経済力と世界で6番目の領土をもつ、1億人の国をリードしていくチェンジメーカーは、チームとしてやっていくしかないという結論に至りました。情報を発信するグループ、人を集めるグループ、お金を集めるグループ、そしてプレイヤーとして議員をやるグループといったものが大きな理念のもとにチームを作って、強烈な個性に頼らずに活動していく必要があると考えています。今、日本で一番若者に支持を得ているアニメ「鬼滅の刃」は、人間がまさにそんなチームを作って鬼と戦うというストーリーですから、国民の潜在的願望にもなっていると感じています。

このチームの中で、一番リスクを背負って動いてもらわねばならないのは、プレイヤーとなる人たちでしょう。私はそんなチームが簡単に作れるとは思っていなかったので、10年間の活動を共有してきた龍馬プロジェクトの仲間たちに大きな期待を寄せ、活動してきました。**それぞれ地域や政党、立場は違っても、「国是十則」という大きなビジョンを共有する仲間は、いざという時の頼りになると信じています。**

最後に龍馬プロジェクト発足当時に、龍馬プロジェクトへの想いを歌にしてもらったので、この歌の歌詞から、10年間変わることのない我々の気概と矜持(きょうじ)を受け取っていただきたいと思います。

みんなでチームを作って日本のチェンジメーカーになりましょう。

龍馬プロジェクト全国会会長　神谷宗幣

生きようぜ〜後悔なき航海〜

作詞作曲　高木芳基
編曲　ザ・マスミサイル

さぁ生きようぜ　なぁ生きようぜ　生かされるのではなく　生きようぜ
己の足で　己の意思で　生かされる前に　生きてみようぜ

僕らは大きな船に乗っている　船の底には致命的な穴が空いている
僕らは今日も船室を着飾ってる　船が沈んだら何にも残らないってのに
僕らは思い切り部屋を飛び出した　外は嵐だとようやくそこで気付いた
誰かが1人でバケツ片手に叫んでた　僕らはそれでも所在なく立ちすくんでた

さぁ立ち上がれ　なぁ立ち上がれ
立たされるのではなく　立ち上がれ
ただ真っすぐに　いや今すぐに
負けることを怖れず　真っすぐに

「おい、てめぇら、もっとバケツ持ってこい！　水をかき出すんだ！　このままじゃ船が沈んじまうぞ！　さぁ、今すぐ立ち上がるんだ、お前の大切な人も船に乗ってるんだろう？　さぁ、今だ、今すぐだ！　遠い未来の話じゃあねぇぜ？　愛を沈めちゃあいけねぇ、夢を沈めちゃあいけねぇ、己のその全てをかけるんだ！」

僕らはようやく足を踏み出した　このままじゃ何にも守れないって気付いた
僕らははじめてはじめることをはじめた　ようやく何かが変わり始める気がした

さぁ変わろうぜ　なぁ変えようぜ
変わることを怖れず　変えようぜ
若すぎるとか　クソ親父とか
そんなの関係ないぜ　人間なんだろ　変われるぜ

さぁ生きようぜ　なぁ生きようぜ　生かされるのではなく　生きようぜ
己の足で　己の愛で　生かされるのではなく　生きてやれ
ただ真っすぐに　いや今すぐに　負けることを怖れず　真っすぐに
もう一度だけ　もう一度だけ
後悔のなき人生の航海へ

龍馬（りょうま）プロジェクト全国会

「日本社会の問題を地方政治から変えていく」という理念を元に、党や派閥の垣根を超えて結成された政治団体。2010年、5名の地方議員から始まった。10年目を迎えた現在、地方議員だけでなく、国会議員、地方自治体首長も誕生。
https://www.ryouma-project.com/

神谷宗幣（かみやそうへい）

昭和52年福井県生まれ。関西大学法科大学院卒業。予備自衛官三等陸曹。元吹田市議会議員、元副議長。平成10年、21歳で大学在学中に、1年間の世界一周で日本の未来に危機感を抱き、教育による「日本の若者の意識改革」を志し政治家の道を選ぶ。平成21年「龍馬プロジェクト全国会」を発足し全国を行脚し、会長として現在250名の会員を束ねる。平成24年11月 議員を辞職し、自由民主党の候補者として衆議院選挙を戦う。平成25年、イシキカイカク株式会社を設立し、インターネットチャンネル『CGS』をスタート。著書に『大和魂に火をつけよう』『子供たちに伝えたい「本当の日本」』（小社刊）など。

日本のチェンジメーカー～龍馬プロジェクトの10年～

令和2年4月10日　初　版　発　行

神谷宗幣 編
龍馬プロジェクト

発行人　蟹江幹彦
発行所　株式会社　青林堂
〒150-0002　東京都渋谷区渋谷3-7-6
電話　03-5468-7769

装幀　有限会社アニー
印刷所　中央精版印刷株式会社

Printed in Japan

ISBN 978-4-7926-0675-6